달구나 파이썬!

노순국 이금분 정유정

개정판

YD 연두에디션
Edition

저자 소개

노순국
조선대학교 전자공학과 학사, 석사, 박사
전: 호남대학교, 조선이공대학교 교수
현: 조선대학교 SW중심대학사업단 부교수

이금분
조선대학교 컴퓨터공학과 박사
전: 조선이공대학교 컴퓨터보안과 교수
현: 조선대학교 SW전문인재양성사업단 연구교수

정유정
조선대학교 전산통계학과 학사, 석사, 박사
현: 호남대학교 AI교양대학 조교수

발행일 2023년 8월 15일 개정판 1쇄
지은이 노순국 · 이금분 · 정유정
펴낸이 심규남
기 획 염의섭 · 이정선
표 지 신현수 | **본 문** 이경은
펴낸곳 연두에디션
주 소 경기도 고양시 일산동구 동국로 32 동국대학교 산학협력관 608호
등 록 2015년 12월 15일 (제2015-000242호)
전 화 031-932-9896
팩 스 070-8220-5528
ISBN 979-11-93177-02-0 (93000)
정 가 20,000원

"본 연구는 과학기술정보통신부 및 정보통신기획평가원의 SW중심대학지원사업의 연구결과로
수행되었음"(2017-0-00137)

PREFACE

최근 전 세계는 4차산업 혁명시대를 맞이하여 소프트웨어(Software)가 새로운 가치 창출의 중심으로 급부상함에 따라 소프트웨어 중심사회로 변화하고 있고 더욱이 인공지능(Artificial Intelligence)이 실생활에서 다양하게 구현됨으로 인해 미래 사회의 중요한 기술로 다가오고 있음을 우리 모두 인식하고 있습니다.

4차산업 혁명 관련 IT 기술은 사물인터넷(IoT), 자율주행자동차, 드론, 3D프린터, 빅데이터, 블록체인, 인공지능과 딥러닝 등이며 이를 구현하기 위해서는 하드웨어(Hardware)도 중요하지만, 소프트웨어(Software)의 중요성이 더욱 크게 부각되고 있습니다. 특히, 미국을 비롯한 세계 여러 선진국에서는 소프트웨어 교육의 중요성을 강조하며 정규 및 비정규 교육과정으로 대학생 및 청소년들에게 소프트웨어 교육의 기회를 제공하고 있고, 우리나라도 최근 초중고 학교에서의 정규 교육과정으로 소프트웨어 교육을 시행하고 있습니다. 그러므로 우리는 컴퓨터 프로그램을 위한 소프트웨어 교육에서 필요한 다양한 프로그래밍 언어 중 최근 가장 많이 활용되고 있는 언어인 Python 언어를 이용하여, 프로그램에 대한 이해와 기초를 습득하고 코딩(Coding) 실력을 향상시켜 주어진 문제에 대한 해결 능력을 갖추도록 하는데 일조하고자 합니다.

이 책은 컴퓨터 분야 및 타 공학 분야의 전공 학생 외 자연계열, 인문사회계열 학문 분야 등의 비전공 학생을 대상으로 하여 한 학기(15주)동안 이론 및 실습을 통해 컴퓨터 프로그래밍 언어인 Python 언어의 문법과 기초를 익히고, 주어진 예제와 연습문제를 이용하도록 하였습니다. 이를 통해 코딩(Coding) 실력 향상과 컴퓨터 프로그래머로써의 자질을 함양할 수 있도록 하였고, 책의 구성은 아래와 같으며, 마지막 장에 인공지능과 머신러닝을 추가하여 관련 기초 개념을 알 수 있도록 하였습니다.

마지막으로 이 책이 완성되기까지 저자들의 미흡한 역량을 도와주시고, 오류를 지적해주신 조선대학교 SW중심대학사업단의 여러 교수님들께 감사드립니다. 지적사항과 오류를 적극 반영하여 더욱 좋은 Python 언어 프로그래밍 도서가 되도록 앞으로도 최선을 다하겠습니다. 그리고 이 책을 출판하는 데 있어 함께 고생하고 많은 협조와 지원을 아끼지 않은 도서출판 연두에디션 관계자분(이정선 부장님 외)께도 감사의 말씀을 전합니다.

2023년 7월 무등산 기슭 백악골에서

저자일동

강의 계획(주당 4시수 기준)

15주 수업의 4시간 시수를 기준으로 모든 장을 학습하는 것을 목표로 한다.

학습자의 경우 각 장의 본문 내용 및 프로그램을 예습 및 복습을 하고, 수업 진행 도중 해당 내용과 프로그램을 반복하여 학습을 진행한다. 또한, 본문의 예제 프로그램을 실습한 후 연습 문제에 대한 실습을 권장한다. 교수자의 경우 4시간 중 2시간 이내에서 본문의 이론적 내용 (문법 등)을 다루고, 예제 프로그램의 실습을 진행하며, 연습 문제를 과제로 부과하여 제출하게 한다. 필기시험인 중간고사와 기말고사 외에 14주차에 개인별 Coding test를 실시하여 학습자 개인의 Python 언어에 대한 Coding 실력을 검증하거나, 한 학기 프로그래밍 프로젝트 목적으로 학습자의 전공이나 관심 분야에 해당하는 분야의 문제를 하나 선정하게 한 후, 해당 문제에 대한 문제 해결 과정 및 프로그래밍, 결과 보고서 작성 등에 대한 팀별 프로젝트 진행을 권장한다.

강의 계획표

주	CHAPTER
1주	1장 파이썬(Python) 설치 및 프로그래밍
2주	2장 자료형 (Data-type)
3주	3장 변수
4주	4장 연산자
5주	4장 연산자
6주	5장 컬렉션 자료형
7주	5장 컬렉션 자료형
8주	**중간고사**
9주	6장 조건문
10주	7장 반복문
11주	8장 함수
12주	8장 함수
13주	9장 파일
14주	10장 터틀 그래픽
15주	11장 인공지능과 머신러닝
16주	**기말고사**

CONTENTS

CHAPTER 3 변수   035

CHAPTER 4 연산자   053

## CHAPTER 1

파이썬
설치 및 프로그래밍

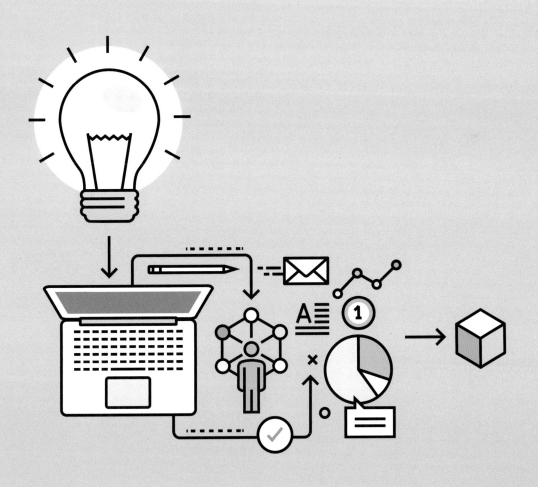

C O N T E N T S

1.1   프로그램, 프로그래밍, 프로그래머

프로그램(Program)은 컴퓨터에게 무슨 일을 시킬지 작성해 놓은 명령어의 집합(작업 지시서)이다. 즉, 여러 명령어(작업 지시)가 컴퓨터가 이해할 수 있는 언어(프로그래밍 언어)로 작성된 것이다. 프로그래밍(Programming)은 프로그래밍 언어로 프로그램을 작성하는 과정이고, 프로그래머(Programmer)는 프로그래밍 언어를 이용하여 논리적이고 명확하게 프로그램을 작성하여 주어진 문제를 해결하는 사람을 의미한다.

1.2   프로그래밍 언어와 컴파일

프로그래밍 언어는 인간(사용자)의 의사(생각)를 컴퓨터에 전달하는 것으로 저급언어(Low level language, 기계어, 어셈블리 언어 등)와 고급언어(High level language, FORTRAN, C, C++, Java, Scratch, Python 등)로 구분된다. 기계어는 0과 1로 구성되며, 복잡한 컴퓨터 하드웨어가 이해하는 언어로써 저급언어라하며, 이러한 컴퓨터 하드웨어 동작에 대한 지식이 없어도 인간(사용자)이 작성할 수 있는 프로그래밍 언어가 고급언어이다. 고급언어로 작성된 프로그램을 0과 1의 조합인 기계어로 바꿔주어야 하는데(변환해주는, 번역해주는) 이것을 컴파일(compile)이라 하고, 여기에 사용되는 소프트웨어(software, program)를 일반적으로 컴파일러(complier)라 하는데, 구체적으로는 사용하는 고급 언어에 따라 2가지 방식이 있다.

컴파일러(compiler) 방식은 특정 프로그래밍 언어로 쓰여 있는 문서를 다른 프로그래밍 언어로 옮기는 언어 번역 프로그램을 말한다. 사용자가 작성한 원래의 프로그래밍 코드(문서)를 소스 코드(source code) 혹은 원시 코드라고 부르고, 기계어로 번역된 문서를 목적 코드(object code)라고 부르며, 이렇게 원시 코드에서 목적 코드로 옮기는 과정을 컴파일(compile)이라고 한다.

인터프리터(interpreter, 문화어: 해석기) 방식은 프로그래밍 언어의 소스 코드를 바로 실행하는 컴퓨터 프로그램 또는 환경을 말하며, 원시 코드를 기계어로 번역하는 컴파일러와 대비된다. 인터프리터는 컴파일러와 달리, 전체적인 코드를 번역하지 않고, 문장단위로 번역하므로 한줄 한줄 실행해나가는 것을 볼 수 있다. 인터프리터는 다음의 과정 가운데 적어도 한 가지 기능을 가진 프로그램이다.

- 소스 코드를 직접 실행
- 소스 코드를 효율적인 다른 중간 코드로 변환하고, 변환한 것을 바로 실행
- 인터프리터 시스템의 일부인 컴파일러가 만든, 미리 컴파일 된 저장 코드의 실행을 호출

그림 1-1 컴파일 방식의 2가지 방식

표 1-1 컴파일 방식의 2가지 방식 비교

컴파일러	번역 방법	프로그램 전체를 한 번에 번역
	장점	한번 번역하면 빠른 시간 내에 전체 실행이 가능함
	단점	프로그램의 일부를 수정하는 경우에도 전체를 다시 컴파일해야 함
	결과	기계어로 된 목적 프로그램 생성
	사용언어	C, C++, Java, c# 등
인터 프리터	번역 방법	프로그램을 문장단위로 한줄 한줄 번역
	장점	대화형태로 진행함으로 초보자에 편리
	단점	프로그램의 전체를 실행하는데 시간이 소요됨
	결과	기계어로 된 목적 프로그램 생성
	사용언어	Python, Java script 등

1.3   사용자 입력값의 프로그램 처리 과정

프로그래밍 언어에서 프로그램은 크게 3가지 과정으로 이루어진다. 사용자가 특정한 명령을 키보드나 마우스 등의 입력장치를 통해 입력한다. 컴퓨터는 이 입력 값을 받아서 자료를 처리하고 마지막으로 결과를 출력장치(모니터, 스피커, 프린터)를 통해 출력한다.

1.4   파이썬

파이썬은 최근에 많은 인기를 얻고 있는 프로그래밍 언어로써, 1991년에 귀도 반 로섬(Guido van Rossum)이 개발한 대화형 프로그래밍 언어이다.

파이썬의 장점은 다음과 같다.

① 간결하면서도 효율적인 프로그램을 빠르게 작성할 수 있다.

② 다른 프로그래밍 언어(C, C++, Java 등)보다 문법이 배우기가 쉽다.

③ 컴퓨터 시스템 간에 이식성이 뛰어나다. 즉, 동일한 파이썬 프로그램이 윈도우즈, 유닉스, 리눅스, 매킨토시에서 변경 없이 실행된다.

④ 대화형으로 인터프리터(Interpretted language) 언어이다. 즉, 파이썬은 한 줄의 명령문을 입력 후 엔터키를 치면 인터프리터(해석기)가 해석 후 바로 실행하여 결과를 보여준다.

⑤ 특정 문제를 해결하는데 필요한 라이브러리(Library)를 거의 무료로 배포한다.

1.5   파이썬 설치

STEP 1   파이썬을 사용하기 위해서는 컴퓨터에 파이썬을 설치해야 한다. 웹브라우저
에서 다음 주소를 작성하여 접속한다.

http://www.python.org

STEP 2   Downloads 메뉴에서 윈도우용 Python 3.9.6을 선택한다.

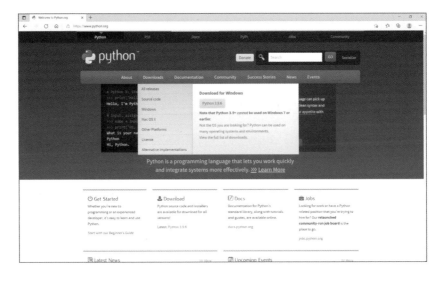

STEP 3 아래와 같은 화면에서 Add Python 3.9 to PATH를 반드시 체크하고 Install
Now를 클릭한다.

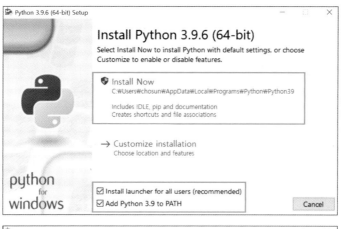

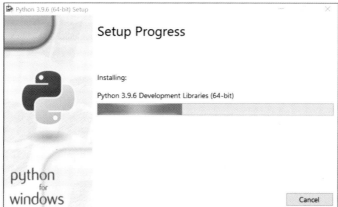

STEP 4 설치가 완료되면 이후에는 모든 것을 기본으로 설정하면 된다.

1.6   파이썬 대화창

파이썬 명령어를 처리하기 위해서는 대화창인 인터프리터가 사용된다. 파이썬 인터프리터를 선택하여 실행하면 그림과 같이 대화창이 활성화된다. 이 대화창을 파이썬 쉘이라 하며, 사용자와 컴퓨터가 대화식으로 코딩이 이루어진다. 대화창에는 파이썬의 버전 등의 정보가 나타나며 '>>>'는 프롬프트(prompt)라 하는데 사용자의 입력(파이썬 명령어)을 받을 수 있다. '_'는 커서(cursor)라 하며 사용자의 입력을 받기 위해 대기하고 있음을 나타낸다.

그림 1-2   파이썬 쉘(shell)

1.7   파이썬 IDLE

파이썬 IDLE(Intergrated Development and Learning Environment)는 "통합적 개발/학습 환경"이라는 것으로 그림과 같이 파이썬 프로그램의 편집과 실행을 대화창에서 하는 것보다 쉽게 하기 위한 도구이다.

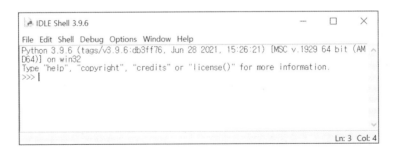

그림 메뉴에서 "File"을 이용하여 "New File"을 선택하면 그림과 같이 새로운 창이 생성되고 명령어를 이용한 코딩 입력 및 편집이 가능한 상태가 된다.

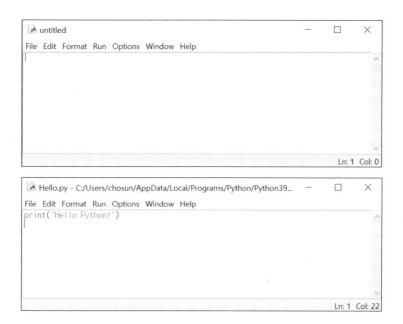

그림과 같이 파이썬 프로그램을 입력 한 후, "Run" 메뉴의 "Run Module"을 실행하거나 단축키 F5를 누르면 작성된 프로그램이 파이썬 파일(확장자는 .py, Hello.py)로 저장된 다음 실행되어 결과가 출력되어 나타남을 확인할 수 있다.

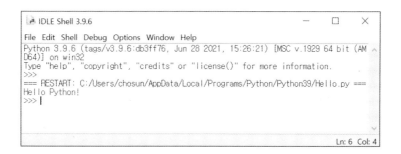

1.8   입력과 출력

프로그래밍 언어에서 프로그램 작성 시 가장 기본적인 내용이 입력과 출력이다.

1.8.1 출력

파이썬은 컴퓨터가 대화창에서 수식이나 문자열을 출력하기 위해서는 출력함수인 print( ) 함수를 사용한다. print( ) 함수는 입력되는 값을 문자열 또는 숫자로 인식하고 프로그램에서 사용할 수 있다.

print(출력하고 싶은 수식, 문자열)

```
>>> print('Hello World!')
Hello World!
>>> print('Hello', 'World!')
Hello World!
>>> print('Hello'+'World!')
HelloWorld!
>>> print(1000)
1000
>>> print(2+3)
5
>>> print('Hello', 1000)
Hello 1000
>>> print('Hello'+1000)  # 문자열 'Hello'와 정수 1000을 더할 수 없음
error
```

■ print( )함수를 사용하지 않고 숫자의 사칙연산(+, -, *, /)

```
>>> 10
10
>>> 10 + 30
40
>>> 10 - 30
-20
>>> 10 * 30
300
>>> 10 / 20
0.5
>>> 123 * 4567
561741
>>> 10 + 30 * 40
1210
```

1.8.2 입력

파이썬은 컴퓨터가 대화창에서 사용자로부터 임의 값을 받기 위해서는 입력함수인 input( ) 함수를 사용한다. input( ) 함수는 입력되는 값을 문자열로 인식하고 이를 변수에 저장하여 프로그램에서 사용할 수 있다.

■ input( ) 함수 사용 방법

변수 = input(문자열)

예 A = input("Enter your name : ")

■ input( ) 함수를 사용한 변수 name의 입력

```
>>> name = input("Enter your name : ")
Enter your name : Hong Gil-dong      # 이름 입력
>>> print(name)
Hong Gil-dong
```

```
>>> name = input("본인의 이름을 입력하세요 : ")
홍길동
>>> print(name, "씨, 반갑습니다.")
홍길동씨, 반갑습니다.
>>> print("파이썬을 즐겁게 배워 보아요")
파이썬을 즐겁게 배워 보아요
```

1.8.3 형 변환

파이썬은 형 변환을 이용하여 주어진 입력 데이터(값)를 원하는 자료형(Data type)으로 변환하여 프로그램에서 사용할 수 있다.

```
변수 = int(변수) : 변수에 저장되는 값을 정수형(int)으로 형 변환
변수 = float(input(변수)) : 변수에 저장되는 값을 실수형(float)으로 형 변환
변수 = str(input(변수)) : 변수에 저장되는 값을 문자열형(string)으로 형 변환
```

변수에 저장되는 정수형 데이터를 실수형으로 형 변환해보자.

```
>>> a = 100
>>> a = float(a)
>>> print(a)
100.0
>>> type(a)              # type( ) 함수는 변수에 저장된 데이터의 자료형을 출력
<class 'flaot'>
```

변수에 저장되는 문자열형 데이터를 정수형으로 형 변환해보자.

```
>>> b = input("정수를 입력하시오 :")
정수를 입력하시오 : 100
>>> print(b)
100
>>> type(b)
```

```
<class 'str'>              # 변수 b에는 저장된 100은 문자열임
>>> b = int(b)            # 변수 b에는 저장된 문자열 100을 정수 100으로 형 변환
>>> print(b)
100
>>> type(b)
<class 'int'>             # 변수 b에는 저장된 100은 정수형임
```

변수에 저장되는 정수형 데이터를 문자열형으로 형 변환해보자.

```
>>> c = 100
>>> type(c)
<class 'int'>             # 변수 c에는 저장된 100은 정수형임
>>> c = str(c)           # 변수 c에 저장된 정수 100을 문자열형으로 형 변환
>>> print(c)
100
>>> type(c)
<class 'str'>             # 변수 a에는 저장된 200은 문자열임
```

1.8.4 input( ) 함수를 이용한 연산

input( ) 함수는 입력되는 값을 문자열로 해야 하기 때문에 연산을 하는 경우에는 주의
해야 한다. 즉, 사용자가 input( ) 함수를 이용하여 입력 데이터를 가지고 연산하는 경
우, 사용자로부터 입력받은 문자열을 정수형이나 실수형으로 변환하여 사용해야 한다.
정수형으로 변환하여 사용해야 할 경우는 int( )함수를 이용해야 하며, 실수형으로 변환
하여 사용해야 할 경우는 float( )함수를 이용해야 한다.

```
변수 = int(input(".........")) : 형 변환을 통해 문자열형을 정수형으로 변환
변수 = float(input("..........")) : 형 변환을 통해 문자열형을 실수형으로 변환
변수 = str(input("..........")) : 형 변환을 통해 문자열형을 문자열형으로 변환
```

사용자로부터 2개의 정수를 입력받아, 덧셈을 한 후에 결과를 출력하는 프로그램을 작성해보자.

```
>>> x = input("첫 번째 정수를 입력하시오 : ")
>>> y = input("두 번째 정수를 입력하시오 : ")
>>> sum =  x + y
>>> print("합은", sum)
첫 번째 정수를 입력하시오 : 100
두 번째 정수를 입력하시오 : 200
합은 100200          # 원하는 덧셈의 결과가 아님
```

```
>>> x1 = input("첫 번째 정수를 입력하시오 : ")
>>> x = int(x1)          # input( )함수의 문자열을 정수로 변환
>>> y1 = input("두 번째 정수를 입력하시오 : ")
>>> y = int(y1)          # input( )함수의 문자열을 정수로 변환
>>> sum =  x + y
>>> print("합은", sum)
첫 번째 정수를 입력하시오 : 100
두 번째 정수를 입력하시오 : 200
합은 300          # 원하는 덧셈의 결과가 출력
```

사용자로부터 2개의 정수를 입력받아서 사칙연산(+, −, *, /), 평균, 거듭제곱 등의 결과를 출력하는 프로그램을 작성해보자.

```
>>> x = int(input("x : "))
>>> y = int(input("y : "))
>>> print("두 수의 합: ", x+y )
>>> print("두 수의 차: ", x-y )
>>> print("두 수의 곱: ", x*y )
>>> print("두 수의 나누기: ", x/y )
>>> print("두 수의 평균: ", (x+y)/2 )
>>> print("두 수 중 큰 수: ", max(x, y))
>>> print("두 수 중 작은 수: ", min(x, y))
>>> print("두 수의 거듭제곱:", x**y )
```

```
x : 10
y : 20
두 수의 합: 30
두 수의 차: -10
두 수의 곱: 200
두 수의 나누기: 0.5
두 수의 평균: 15
두 수 중 큰 수: 20
두 수 중 작은 수: 10
두 수의 거듭제곱 : 100000000000000000000
```

1. 다음 설명하는 것은 무엇인지요?

> 소스코드를 한 줄씩 읽어서 실행하는 언어로, 별도의 실행 파일이 생성되지 않는다.

① 컴파일러 언어   ② JAVA 언어

③ Python 언어   ④ C언어

2. 다음 중 파이썬에 대한 설명이 아닌 것은 무엇인지요?

① 간결하면서도 효율적인 프로그램을 빠르게 작성할 수 있다.

② 다른 프로그래밍 언어(C,C++,Java 등)보다 문법이 배우기가 어렵다.

③ 컴퓨터 시스템 간에 이식성이 뛰어나다.

④ 대화형으로 인터프리터(Interpretted language) 언어이다.

3. 파이썬 개발환경은 무엇인지요?

① 32bit   ② 64bit

③ IDLE   ④ 스크립트

4. 파이썬 소스코드의 확장명은 무엇인지요?

① .pth   ② .pt

③ .py   ④ .python

5. 여러 줄을 코딩한 후 한 번에 실행하는 모드는 무엇인지요?

① 컴파일 모드   ② 파이썬 모드

③ 스크립트 모드   ④ 대화형 모드

6. 파이썬 코드의 출력 결과는 무엇인지요?

```
(1) print(100)
(2) print(100 + 100)
(3) print('100 + 100')
(4) print(100, 100)
(5) print('100', '100')
(6) print('100' '100')
(7) print('Hello Python!')
(8) print('Hello', 'Python', '!')
(9) print('Hello'+'Python'+'!')
(10) print('Hello''Python''!')
```

자료형

CONTENTS

파이썬에서 사용하는 기본 자료형(Data-type)은 3가지가 있는데, 정수형, 실수형, 문자열이다.

2.1 숫자형

파이썬은 연산에 사용되는 숫자로 정수, 실수, 복소수, 8진수, 16진수 형태를 사용한다.

표 2-1 파이썬 숫자형

항목	사용 예
정수	123, 0, −123
실수	12.345, −12.345
복소수	1+3j, −2j
8진수	0o23
10진수	0xFF

2.2 정수형

정수(integer)는 소수점이 없는 수로써 양수, 0, 음수를 나타낸다.

```
>>> a = 123
>>> a = 0
>>> a = -123
```

2.3 실수형

실수(floating-point)형은 소수점을 포함하는 수를 나타낸다.

```
>>> a = 1.23
>>> a = -1.23
>>> a = 3.14E5
>>> a = 3.14e-5
```

※ 3.14E5 = 3.14*10^5, 3.14e-5 = 3.14*10^{-5}를 의미

2.4 복소수형

파이썬에서는 복소수(complex number)를 나타내기 위해서 소문자 j 또는 대문자 J를 사용한다.

```
>>> a = 1+3j
>>> b = 1-3j
```

복소수. real은 복소수의 실수부분을 출력으로 반환(리턴)한다.

```
>>> a = 1+3j
>>> a.real
1.0
```

복소수. imag는 복소수의 허수부분을 출력으로 반환(리턴)한다.

```
>>> a = 1+3j
>>> a.imag
3.0
```

복소수. conjugate( )는 복소수의 켤레복소수를 출력으로 반환(리턴)한다.

```
>>> a = 1+3j
>>> a.conjugate()
(1-3j)
```

복소수, abs는 복소수의 절댓값을 출력으로 반환(리턴)한다.

```
>>> a = 1+3j
>>> abs(a)
3.1622776601683795
```

2.5 문자열

2.5.1 문자열의 사용

프로그래밍에서 숫자를 연산을 위한 사용이 아닌 숫자 그대로 사용해야 하는 경우도
있다. 파이썬에서는 문자를 나타내기 위해 따옴표(Quote)를 이용하여 'string'으로 나
타낸다. 문자열(string)은 문자, 단어 등으로 구성된 문자들의 집합을 의미하며, 문자열
을 만드는 4가지 방법이 있다.

■ 작은 따옴표[' '] 또는 큰 따옴표[" "]로 양쪽 둘러싸기로 string을 표시하는 경우

```
>>> print('Hello World!')
Hello World!
>>> print("He is a good boy.")
He is a good boy.
>>> print("He is a good boy.')  → 잘못 사용한 예
SyntaxError : Invalid syntax
>>> a = Hello   →  잘못 사용한 예
SyntaxError : Invalid syntax
```

■ 문자열이 여러 줄에 있을 때 큰 따옴표("") 또는 작은 따옴표('' '') 3개를 연속으로
  사용하여 양쪽 둘러싸기

```
>>> a = """
입학을 환영합니다.
23학번 홍길동
"""
>>> print(a)
입학을 환영합니다.
23학번 홍길동
```

■ 문자열에 ' '를 양쪽 둘러싸기로 하고 큰 따옴표("")를 포함하는 경우

```
>>> print('"He is a good boy." my father said')
"He is a good boy." my father said
```

아무런 문자가 없는 유효한 빈 문자열이 있는데, 이것은 여러 문자열을 한 문자열로 병
합할 때 문자열 사이에 공백을 입력할 수 있다.

```
>>> ' '
' '
>>> " "
' '
>>> ''' '''
' '
>>> """ """
' '
```

2.5.2 데이터 타입의 변환 (형변환) : str()

파이썬에서 str( ) 함수를 사용하여 데이터 타입을 문자열로 변환할 수 있다.

```
>>> str(99.9)
'99.9'
>>> str(1.0e3)
'1000.0'
>>> str(True)
'True'
```

2.5.3 특수 문자열의 사용

파이썬에서 의미를 갖는 특수 문자열이 사용된다. 다음은 주요 특수 문자열이다.

표 2-2 파이썬 특수 문자열

특수 문자열	의미
\n	문자열 안에서 줄을 바꿀 때 사용
\t	문자열 사이에서 탭 간격을 줄 때 사용
\\	문자열에서 \를 출력하고자 할 때 사용
\"	문자열에서 "를 출력하고자 할 때 사용
\'	문자열에서 '를 출력하고자 할 때 사용

```
>>> a = '첫 번째\n 두 번째'
>>> print(a)
첫 번째
두 번째
>>> a = 'don\'t'
>>> print(a)
don't
>>> a = 'don't'   →  잘못 사용한 예
>>> print(a)
SyntaxError : Invalid syntax
```

2.5.4 문자열의 연산(결합) : +

파이썬에서 + 연산자를 사용하여 문자열 또는 문자열 변수를 병합할 수 있다.

```
>>> '첫 번째' + '두 번째'
'첫 번째두 번째'
>>> '첫 번째' '두 번째'
'첫 번째두 번째'
>>> a = '첫 번째'
>>> b = '두 번째'
>>> c = '세 번째'
>>> a + b + c
'첫 번째두 번째세 번째'
>>> print(a, b, c)          # print()는 각 인자 사이에 공백을 넣어준다.
첫 번째 두 번째 세 번째
```

2.5.5 문자열의 연산(복제) : *

파이썬에서 * 연산자를 사용하여 문자열을 복제할 수 있다.

```
>>> a = '첫 번째' * 3
>>> a
'첫 번째첫 번째첫 번째'
>>> b = '두 번째' * 2
>>> b
'두 번째두 번째'
>>> c = '세 번째'
>>> print(a + b + c)
첫 번째첫 번째첫 번째두 번째두 번째세 번째
```

2.5.6 문자열의 추출 : [ ]

파이썬에서 문자열에서 한 문자를 얻기 위해서는 인덱싱(Indexing)을 이용한다. 인덱싱은 문자열에 [과]을 붙여서 문자를 추출하는 것이다. [과] 사이에는 인덱스(Index)라는 숫자가 들어가며, 문자열에 포함된 각각의 문자에 설정된 번호(offset)이다. 문자열 이름 뒤에 대괄호([ ])와 offset을 지정한다. 가장 왼쪽의 offset은 0이고, 그 다음은 1, 2, …이다. 그리고 가장 오른쪽(맨 끝)의 offset은 −1이며 반대방향으로는 −2, −3, …이다.

대	한	민	국
0	1	2	3
−4	−3	−2	−1

```
>>> a = '대한민국'
>>> a[0]
'대'
>>> a[1]
'한'
>>> a[-1]
'국'
>>> a[-2]
'민'
>>> a[3]
'국'
>>> a[4]                 # offset을 문자열의 길이 혹은 이상으로 지정하는 경우 error
Traceback (most recent call last):
  File "<pyshell#41>", line 1, in <module>
    a[4]
IndexError: string index out of range
```

2.5.7 문자열의 일부 추출 : [start:end:step]

파이썬에서 문자열에서 일부를 추출(slice)하려면 slice를 사용한다. 또한 이들 중 일부를 생략할 수 있다. start와 end−1 사이의 문자를 포함한다.

- [:]은 처음부터 끝까지 전체 시퀀스를 추출한다.
- [start:]은 start offset부터 끝까지 시퀀스를 추출한다.
- [:end]는 처음부터 (end−1) offset까지 시퀀스를 추출한다.
- [start:end]는 start offset부터 (end−1) offset까지 시퀀스를 추출한다.
- [start:end:step]은 step만큼 문자를 건너 뛰면서, start offset부터 (end−1) offset까지 시퀀스를 추출한다.

```
>>> alphabet = 'abcdefghijklmnopqrstuvwxyz'
>>> alphabet[:]          # 문자열 전체 출력, alphabet[0:]과도 같다.
'abcdefghijklmnopqrstuvwxyz'
>>> alphabet[21:]        # offset 21부터 문자열 끝까지 추출한다.
'vwxyz'
>>> alphabet[11:]        # offset 11부터 문자열 끝까지 추출한다.
'lmnopqrstuvwxyz'
>>> alphabet[12:16]      # offset 12부터 15까지 추출한다.
'mnop'
>>> alphabet[-4:]        # 마지막 4개 문자를 추출한다.
'wxyz'
>>> alphabet[20:-3]      # offset 20부터 마지막 4개 문자까지 추출한다.
'uvw'
>>> alphabet[-5:-2]      # 끝에서 5번째 문자부터 끝에서 2번째 문자까지 추출한다.
'vwx'
>>> alphabet[::5]        # 처음부터 끝까지 5 step씩 건너뛰면서 추출한다.
'afkpuz'
>>> alphabet[4:21:3]     # 4번째부터 21번째까지 3 step씩 건너뛰면서 추출한다.
'ehknqt'
>>> alphabet[17::3]      # 17번째부터 끝까지 3 step씩 건너뛰면서 추출한다.
'rux'
>>> alphabet[:17:3]      # 처음부터 17번째까지 3 step씩 건너뛰면서 추출한다.
'adgjmp'
```

```
>>> alphabet[::-1]        # 끝부터 처음까지 역방향으로 전체를 추출한다.
'zyxwvutsrqponmlkjihgfedcba'
>>> alphabet[-30:]        # 끝에서 30번째부터 문자열 끝까지 전체를 추출한다.
'abcdefghijklmnopqrstuvwxyz'
>>> alphabet[-31:-30]     # 끝에서 31번째부터 30번째까지 추출한다.
' '
>>> alphabet[:30]         # 처음부터 30번째까지 추출한다.
'abcdefghijklmnopqrstuvwxyz'
>>> alphabet[30:31]       # 처음부터 30번째부터 31번째까지 추출한다.
' '
```

2.5.8 문자열의 길이 : len()

파이썬에서는 내장함수(특정 작업을 수행하는 코드) len( )을 사용하여 문자열의 길이를 셀 수 있다.

```
>>> alphabet = 'abcdefghijklmnopqrstuvwxyz'
>>> len(alphabet)
26
>>> b = ' '
>>> len(b)
0
```

2.5.9 문자열 나누기 : split()

파이썬에서는 내장함수(특정 작업을 수행하는 코드) split( )을 사용하여, 어떤 구분자를 기준으로 하나의 문자열을 여러 개의 문자열들의 리스트로 나눌 수 있다. 리스트는 콤마(,)로 구분하고, 양쪽을 대괄호([ ])로 둘러싼 값들의 시퀀스이다.

```
>>> alphabet = 'get abcd,get efghi,give jklmn,call opqr'
>>> alphabet.split(',')    # string.function(argument) 형식 사용, 구분자는 ','
['get abcd', 'get efghi', 'give jklmn', 'call opqr']
>>> alphabet.split()
['get', 'abcd,get', 'efghi,give', 'jklmn,call', 'opqr']  # 구분자를 사용하지 않으면,
                      split()은 문자열에 등장하는 공백분자(줄바꿈, 스페이스, 탭)를 사용
```

2.5.10 문자열 결합하기 : join()

파이썬에서는 내장함수(특정 작업을 수행하는 코드) join( )함수는 split( ) 함수의 반대
이며, 문자열 리스트를 하나의 문자열로 결합한다.

■ '구분자'.join(리스트)

'구분자'.join(리스트)를 이용하면 리스트의 값과 값 사이에 '구분자'에 들어온 구분자
를 넣어서 하나의 문자열로 합쳐준다. 예를 들어, '_'.join(['a', 'b', 'c']) 라 하면 'a_
b_c' 와 같은 형태로 문자열을 만들어서 반환해준다.

■ ''.join(리스트)

''.join(리스트)를 이용하면 매개변수로 들어온 ['a', 'b', 'c'] 이런 식의 리스트를
'abc'의 문자열로 합쳐서 반환해준다. 이것은 '구분자'.join(리스트)에서 '구분자'가
그냥 공백인 것과 같다.

```
>>> alphabet = ['get abcd','get efghi','give jklmn','call opqr']
>>> result1 = '_'.join(alphabet)
>>> result1
'get abcd_get efghi_give jklmn_call opqr'
>>> result2 = ' '.join(alphabet)
>>> result2
'get abcdget efghigive jklmncall opqr'
>>> result3 = '.'.join(alphabet)
```

```
>>> result3
get abcd. get efghi. give jklmn. call opqr.
```

2.5.11 문자열에서 대소문자를 변경하기

파이썬에서는 내장함수(특정 작업을 수행하는 코드)를 사용하여 대소문자를 변경하고,
위치를 변경할 수 있다.

```
>>> alpha = 'I am a boy.'
>>> alpha.capitalize( )      # 첫 번째 단어를 대문자로 변경
'I am a boy.' '
>>> alpha.title( )           # 모든 단어의 첫 글자를 대문자로 변경
'I Am A Boy.'
>>> alpha.upper( )           # 모든 단어의 글자를 대문자로 변경
'I AM A BOY.'
>>> alpha.lower( )           # 모든 단어의 글자를 소문자로 변경
'i am a boy.'
>>> alpha.swapcase( )    # 모든 단어의 대문자와 소문자를 바꾸어서 변경
'i AM A BOY.'
>>> alpha.center(30)       # 문자열을 지정한 공간에서 중앙에 배치
'      I am a boy.        '
>>> alpha.ljust(30)         # 문자열을 지정한 공간에서 왼쪽에 배치
'I am a boy.              '
>>> alpha.rjust(30)        # 문자열을 지정한 공간에서 오른쪽에 배치
'             I am a boy.'
```

2.5.12 문자열에서 대체하기 : replace()

문자열의 일부를 대체하기 위해서 내장함수(특정 작업을 수행하는 코드) replace( )를 사용한다. ( )안에 인자로 변경할 문자열, 대체할 새문자열, 바꿀 문자열에 대한 횟수를 입력한다.

```
>>> alpha = 'I am a boy.'
>>> alpha.replace('boy', 'girl')
'I am a girl.'
>>> alpha.replace('a', 'a famous', 100)      # 100회까지 변경
'I a famousm a famous boy.'
```

1. 다음 파이썬에서 사용하는 기본 자료형이 아닌 것은 무엇인지요?

① 정수형   ② 실수형
③ 문자열   ④ 리스트

2. 다음의 출력 결과는 무엇인지요?

```
>>> str(1.0e3)
```

① 1000   ② 1000.0
③ 10000   ④ 10000.0

3. 다음에서 P[-2]는 무엇인지요?

P =	P	y	t	h	o	n

① n   ② P
③ o   ④ y

4. 다음의 출력 결과는 무엇인지요?

```
>>> len("Squid game")
```

① 9   ② 10
③ 11   ④ 12

5. 파이썬에서 문자열에서 일부를 추출하려면 (1)을 사용하며, 결합하기 위해서는 (2)를 사용한다.
1, 2에 알맞은 것은 각각 무엇인지요?

① +, *   ② slice, split
③ slice, join   ④ slice, replace

6. 파이썬에서 문자열 안에서 줄을 바꿀 때 사용하는 특수 문자열은 무엇인지요?

① \n   ② \t

③ \\   ④ \"

변수

CONTENTS

3.1 변수란?

변수(variables)란 계속해서 변하는 값으로 프로그램이 실행되는 동안 수시로 데이터 값이 변하는 정보를 공유하고 있는 것을 의미한다. 변수를 선언하면 자료형의 크기에 따라 메모리 공간을 확보하여 준다.

보통 음식은 그릇에 담겨 냉장고에 넣어 두는데, 각각 담아야 할 사물들을 정확히 넣어야만 가장 이상적인 역할을 하기도 하며 그릇은 필요에 따라 꺼내서 다시 사용할 수 있고 재료가 바뀌기도 한다.

프로그램에서 이러한 담는 그릇의 역할을 수행하는 것이 변수(variable)이다. 다시 설명하면 프로그램에서 데이터를 입력 받거나 연산을 수행하면 그 결과를 저장 할 공간이 필요하다. 이와 같은 저장 공간을 가리키는 것을 변수라고 하며, 데이터를 처리하는 데 필요한 저장 공간을 구별하기 위해 변수 이름을 선언한다. 변수는 상수 또는 문자와 문자열 등을 대입하기 위한 저장 공간으로 사용된다.

변수는 [그림 3-1] 자료형에 따라 저장된 값이 바뀐다.

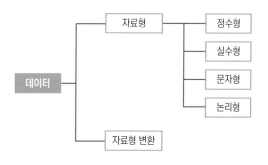

그림 3-1 변수의 자료형 종류

■ 변수 특징

① 임시적으로 자료를 저장하는 곳이다.

② 변수(variable)에 저장된 값은 필요할 때마다 변할 수 있다.

③ 변수에는 정수, 실수, 문자, 논리형 등 모든 자료형을 저장할 수 있다.

④ 변수는 다른 변수의 값도 저장할 수 있다.

⑤ 변수는 데이터가 사용되기 전에 반드시 할당이 되어있어야 한다.

파이썬에서 변수를 사용하지 않으면 '고맙습니다!' 하는 문장을 5번 출력하고자 할 때 print( )함수에 5번을 그대로 문장을 사용하여 출력하여야 하는 번거로움이 있다.

```
>>>print('고맙습니다!')
>>>print('고맙습니다!')
>>>print('고맙습니다!')
>>>print('고맙습니다!')
>>>print('고맙습니다!')
```

그렇지만 다음의 예제처럼 변수를 사용하면 한번만 할당하여 주고 사용하는 곳에 적절하게 변수를 호출하여 필요할 때 마다 꺼내어 사용하면 된다.

```
>>>thank='고맙습니다.'
>>>print(thank)
>>>print(thank)
>>>print(thank)
>>>print(thank)
>>>print(thank)
>>>print('인사: ',thank)
```

파이썬에서 값이 할당되지 않은 변수를 사용한다면 다음과 같은 오류가 발생한다.

```
>>> x=x+1
Traceback (most recent call last):
  File "<pyshell#5>", line 1, in <module>
    x=x+1
NameError: name 'x' is not defined
```

3.2 변수 선언과 초기화

파이썬에서 변수를 생성하기 위해 변수 이름과 할당 연산자 그리고 변수가 가지게 될 값을 다음과 같이 하면 된다. 파이썬의 할당 연산자 = 는 값으로 객체를 변수를 통해 참조하도록 하는 중요한 연산자이다.

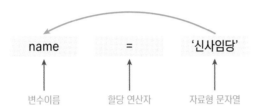

그림 3-2 파이썬 할당 연산자 구조

※ 수학에서는 ' = ' 표현은 좌측의 값과 우측의 값이 같다는 것을 나타내지만, 프로그래밍 언어에서는 [그림 3-2]처럼 우측의 데이터를 좌측에 할당(대입)하라는 의미로 사용한다. 즉 좌측은 저장공간을 의미한다.

```
>>> name='신사임당'
>>> print(name)
신사임당
>>> age=20
>>> print(age)
20
>>> x=10
>>> y=20
>>> sum =x+y
>>> print(sum)
30
```

3.3 변수명 규칙

파이썬에서 변수명은 프로그래머가 자유롭게 만들 수 있지만 반드시 지켜야 할 규칙이 있다.

① 데이터의 의미를 알기 쉽게 파악하도록 짓는다.

변수명은 해당 변수에 어떤 데이터가 저장되는지 쉽게 알 수 있도록 짓는 것이 좋다.

예를 들면 이름을 저장하여야 하는 변수에 address = '신사임당' 이라고 하는 것보다 name='신사임당' 이라고 짓는게 훨씬 의미를 유추하기에 좋다. 문자열은 작은 따옴표 (' ')나 큰 따옴표(" ")로 표시해 주어야 한다.

② 영문자를 사용한다.

파이썬에서는 변수명을 한글로 지어도 되지만 가독성이 떨어지므로 권장하지 않는다.

권장	권장하지 않음

>>> name= '신사임당'
>>> print(name)
신사임당
	>>> 이름= '신사임당'
	>>> print(이름)
	신사임당

③ 예약어는 변수명으로 사용할 수 없다.

파이썬에는 용도가 미리 정해져 있는 특정한 단어(keyword 또는 예약어)가 있으며 이 단어들은 변수명으로 사용할 수 없다. [표 3-1]은 파이썬에 예약되어 있는 키워드로, 변수명으로 사용하지 않도록 한다.

표 3-1 파이썬 키워드 예약어

False	True	None	if	return
elif	continue	def	else	as
for	del	from	finally	not
pass	while	with	try	import
or	and	break	class	in

다음의 예제처럼 오류가 나오기 때문에 예약어는 사용하지 않는다.

>>> while='신사임당' SyntaxError: invalid syntax	>>> def ='홍길동' SyntaxError: invalid syntax

④ 단어와 단어를 연결하여 변수명을 사용하고자 한다면 언더바(_) 기호만 사용할 수 있다.

변수명 앞	변수명 뒤	변수명 중간	변수명 연결

>>> _age= 20
>>> print(_age)
20
	>>> age_=20
	>>> print(age_)
	20
		>>> a_g_e =20
		>>> print(a_g_e)
		20
			>>> age_01=20
			>>> print(age_01)
			20

⑤ 공백 문자는 사용할 수 없다.

변수명과 변수명 사이, 변수명 앞에 공백 또는 변수명 뒤에 공백을 사용하여서 불필요한 공백문자로 인해 코드 판독을 어렵게 하므로 사용하지 않는다.

변수명과 변수명 사이 공백	변수명 앞에 공백
>>> first jumsu=10 SyntaxError: invalid syntax	>>> jumsu=10 SyntaxError: unexpected indent

⑥ 변수명 앞에 숫자를 사용하지 않는다.

변수명을 사용하다 name01, name02, name03 등으로 이름에 순서를 정하는 경우가 있다. 숫자는 변수명에 자유롭게 사용할 수 있지만 변수명의 첫 글자만큼은 숫자로 표현하면 안된다.

변수명 앞에 사용하는 경우 구문오류	바르게 사용한 경우

>>> 01name='신사임당'
SyntaxError: invalid syntax
	>>> name_01='신사임당'
	>>> print(name_01)
	신사임당

⑦ 변수명 이름은 대문자와 소문자를 다르게 인식한다.

변수명 name 과 Name은 각각 다른 변수이름으로 기억된다.

```
>>> name='신사임당'
>>> Name='유관순'
>>> print(name)
신사임당
>>> print(Name)
유관순
```

변수명을 만드는 규칙을 정리하면 다음과 같다.

① 데이터의 의미를 알기 쉽게 파악하도록 짓는다.
② 영문자를 사용한다.
③ 예약어는 변수명으로 사용할 수 없다.
④ 단어와 단어를 연결하여 변수명을 사용하고자 한다면 언더바(_) 기호만 사용할 수 있다.
⑤ 공백 문자는 사용할 수 없다.

⑥ 변수명 앞에 숫자를 사용하지 않는다.

⑦ 변수명 이름은 대문자와 소문자를 다르게 인식한다.

변수명 만드는 방법을 배웠으니 실제 코드에 적용해 본다.

```
>>> num1=5
>>> num2=10
>>> result=num1+num2
15
>>> hap= 10 + 30
>>> print('10 + 30 =' , hap )
10 + 30= 40
```

정수 5를 num1 변수에 저장하고 정수 10을 num2 변수에 저장을 해서 두 개의 변수를 더해 result라는 변수에 다시 저장하면 result 변수에는 15값에 저장된다.

hap 변수에 10+30 수식을 저장하고 출력함수 print( )를 사용하면 작은 따옴표('') 안에 있는 '10+30='은 계산하라는 식이 아니라 출력하는 문자를 표현하기 때문에 그대로 출력되며 hap변수에 저장되어있는 10+30이 계산되어 40이 저장되어 최종 결과는 10+30=40 이 출력된다.

다음은 숫자데이터 문자데이터를 각 변수에 저장한 후 print( ) 함수를 사용하여 실습을 하여본다.

```
>>> job='프로그래머'
>>> print('직업은 : ' , job)
직업은 :  프로그래머
>>> name='홍길동'
>>> print('이름은 ' , name , '입니다.')
이름은 홍길동입니다.
>>> age= 20
>>> hobby='축구하고 맛있는거 먹기'
>>> print('나이는 ' , age , '살이며' , ',' , '취미는' , hobby , '입니다.')
나이는 20살이며, 취미는 축구하고 맛있는거 먹기입니다.
```

```
>>> name='유관순'
>>> age=20
>>> add='우주시'
>>> print('이름은 ' , name , '이고 ' , '나이는' ,age, '살', '이며', '주소는' , add ,'입니다.')
이름은 유관순 이고  나이는 20 살 이며 주소는 우주시입니다.
```

위와 같이 이름을 나타내는 name이라는 변수명에 '유관순'을, 나이를 나타내는 age 변수명에 20을 주소를 나타내는 add 변수명에 '우주시'를 저장하고 있는 값을 불러와 실행하면 결과는 다음과 같다. '이름은 유관순이고 나이는 20살이며 주소는 우주시입니다.'라고 출력한다.

변수의 값을 다른 값으로 바꾸어 출력하는 연습을 하여 본다.

```
>>> name='유관순'
>>> age=20
>>> add='우주시'
>>> print('이름은 ' , name , '이고 ' , '나이는' ,age, '살', '이며', '주소는' , add ,'입니다.')
이름은 유관순이고  나이는 20 살 이며 주소는 우주시입니다.
>>> name='신사임당'
>>> age=30
>>> add='조선동'
>>> print('이름은 ' , name , '이고 ' , '나이는' ,age, '살', '이며', '주소는' , add ,'입니다.')
이름은 신사임당이고  나이는 30 살 이며 주소는 조선동입니다.
```

실행결과는 다음과 같다.

```
이름은 유관순이고  나이는 20 살 이며 주소는 우주시입니다.
이름은 신사임당이고  나이는 30 살 이며 주소는 조선동입니다.
```

위와 같이 순서적으로 name, age, add 변수에 각각 '유관순', 20, '우주시'라는 데이터 값을 할당하여 주고 출력할 수 있도록 하며, 그 다음 순차적으로 오는 name, age, add 변수에 '신사임당', 30, '조선동'이라는 데이터 값을 할당하여 주고 출력하면 데이터 값은 새로운 값이 할딩이 되어 출력이 되는 것을 볼 수 있다.

3.4 데이터 복사와 변경

변수에 저장된 데이터는 할당 연산자를 이용하면 다음 변수에 쉽게 복사할 수 있다. 다음은 name01이 가지고 있는 데이터를 name02 변수에 복사하여 보자.

```
>>> name01='신사임당'
>>> name02=name01
>>> print(name01)
신사임당
>>> print(name02)
신사임당
```

변수를 이용하여 '신사임당' 문자열 데이터 값을 name01에 할당하고, name01 변수명을 name02 변수명에 다시 할당하고 출력하면 '신사임당' 이 출력되며, name01변수를 출력하면 원래 있던 문자열 데이터 '신사임당'이 출력된다.

할당 연산자를 이용하여 데이터를 복사하면 메모리에는 두 개의 변수와 데이터가 별도의 방으로 만들어져 복사가 된다.

다음은 name02에 name01의 데이터를 복사한 후 name01의 데이터를 변경하면 name02 변수명은 어떻게 바뀌는지 알아보자.

```
>>> name01='신사임당'
>>> name02=name01
>>> print(name01)
신사임당
>>> print(name02)
신사임당
>>> name01='유관순'
>>> print(name01)
유관순
>>> print(name02)
신사임당
```

name01 변수에 '유관순'이라고 하는 데이터로 변경하고 출력하여 보면 name01 변수는 '유관순'으로 바뀌어있고 name02는 '신사임당'으로 바뀌어있다. 즉 name01과 name02는 전혀 다른 변수이며 서로 영향을 끼치지 않는다는 것을 알 수 있다.

3.5 주석문 사용하기

주석문(comment) 처리를 하고자 할 때는 '# '기호를 코드 앞에 사용하며 '#' 기호가 앞에 붙은 코드는 프로그램 실행에 영향을 끼치지 않는 코드를 말한다. '#' 기호가 있는 한 줄만 영향을 끼치지 않는다.

프로그래밍 전체 코드를 주석문 처리 하고자 할 때는 작은 따옴표 세 개(''')를 사용하여 코드가 시작되는 앞과 마지막 코드 뒤에 작은 따옴표 세 개(''')로 마무리 해준다.

또는 큰 따옴표 세 개를 사용하여도 된다. (""" 큰 따옴표 주석문입니다. """)

단, 주석문은 >>>를 사용하는 shell 상태에서는 사용할 수 없고 edit 편집에서 프로그래밍을 할 때 사용할 수 있다.

# 기호 사용하는 주석문	작은 따옴표 세 개 사용하는 주석문

#다음 설명을 하세요.
#age=10
age_02=20
print(age_02)
	'''age=10
	age_02=20
	print(age_02)'''

결과 :20	결과 : 아무것도 실행되지 않는다.

 **실습예제 3.1**

(요구조건)

대화창에서 변수를 선언하고 출력하는 예제이다. 다음을 실습하여 보시오.

```
>>>name = '홍길동'
>>>print(name)
>>>print('나의 이름은 : ', name)
>>>age = 20
>>>print(age)
>>>print('나이는 : ', age)
>>>height = 179
>>>weight =55
>>>print('키는', height , 'cm 이고, 몸무게는', weight , 'kg입니다.')
```

```
홍길동
나의 이름은 : 홍길동
20
나이는 : 20
키는 179 cm 이고, 몸무게는 55 kg입니다.
```

 **실습예제 3.2**

(요구조건)

대화창에서 변수를 선언하고 출력하는 예제이다. 다음을 실습하여 보시오.

```
>>>sum = 100 + 200
>>>print('100 + 200 =', sum)
>>>print('계산 결과:' ,sum)
>>>minu = 100 - 200
>>>print('100 - 200 =', minu)
>>>print('계산 결과:' ,minu)
```

```
100 + 200 = 300
계산 결과: 300
100 - 200 = -100
계산 결과: -100
```

 실습예제 3.3

(요구조건)

input() 함수를 이용하여 데이터를 출력하는 프로그램을 작성하는 예제이다. name과 age 변수에 이름과 나이를 입력받아 출력하는 프로그램을 작성하여 보시오.

```
>>> name=input('당신의 이름을 입력하세요:')
>>> print(name)
>>> print('나의 이름은' , name ,'입니다.')
>>> type(name)
>>> age=input('나이를 입력하세요:')
>>> print(age)
>>> print('나이는' ,age ,'입니다.')
>>> type(age)
```

```
당신의 이름을 입력하세요:홍길동
홍길동
나의 이름은 홍길동입니다.
<class 'int' >
나이를 입력하세요:20
20
나이는 20 입니다.
<class 'str' >
```

 실습예제 3.4

요구조건

input() 함수를 이용하여 데이터를 출력하는 프로그램을 작성하는 예제이다. 아래 포맷에 따라 출금 계좌번호, 입금은행, 입금 계좌번호, 수취인, 이체금액을 입력받아 출력하는 프로그램을 작성하여 보시오.

```python
#ex3-4.py

print('반갑습니다. 계좌 이체를 위한 정보를 입력하세요.')
withdraw = input('1) 출금 계좌 번호 : ')
deposit =   input('2) 입금 은행 : ')
deposit_num = input('3) 입금 계좌 번호 : ')
receiver = input('4) 수취인 : ')
money   = input('5) 이체 금액 : ')

print('입력하신 정보는 아래와 같습니다.')
print('=================================')
print('- 출금 계좌 번호 : ', withdraw)
print('- 입금 은행 : ', deposit)
print('- 입금 계좌 번호 : ', deposit_num)
print('- 수취인 : ', receiver)
print('- 이체 금액 : ', money, '원')
print('=================================')
```

```
 반갑습니다. 계좌 이체를 위한 정보를 입력하세요.
 1) 출금 계좌 번호 : 00-000000
 2) 입금 은행 : 광주은행
 3) 입금 계좌 번호 : 111-11111
 4) 수취인 : 신사임당
 5) 이체 금액 : 100000

입력하신 정보는 아래와 같습니다.
=================================
- 출금 계좌 번호 : 00-000000
- 입금 은행 : 광주은행
- 입금 계좌 번호 : 111-11111
- 수취인 :  신사임당
- 이체 금액 :  100000 원
=================================
```

1. 다음 괄호에 들어가는 알맞은 말을 넣어보시오.

> (   )란 데이터가 저장되어 있는 (   )의 이름을 말하며 프로그램 작성 시 (   )를 대신하여 사용합니다. (   )를 사용하기 위해서는 (   )과 초기화를 하여야 합니다.

2. 다음 괄호에 들어가는 알맞은 말을 넣어보시오.

> 변수에 저장된 데이터는 언제든지 변경할 수 있습니다. 데이터를 변경할 때는 변수 초기화 할 때처럼 (   )를 이용합니다.

3. 문자열 'Happy Day'를 temp 변수에 저장하고 5번 출력하는 프로그램을 작성하여 보시오.

> Happy Day
> Happy Day
> Happy Day
> Happy Day
> Happy Day

4. fruit 변수를 이용하여 아래와 같은 실행 결과가 나올 수 있도록 밑줄 부분을 채워 프로그램을 작성하여 보시오.

```
fruit='사과'
print(fruit)
_____
_____
```

> 사과
> 딸기

5. 수학 점수를 이용하는 프로그램을 만들려고 할 때 변수명으로 가장 적합한 것을 고르시오.

① 01jumsu   ② Jumsu math

③ math_jumsu   ④ Jumsu 01

6. 프로그램 첫 줄에는 10과 20의 합을 출력하기 위한 방법을 보여주고 있다. print()함수와 + 연산을 이용하여 20+30+40=90의 합을 결과와 같이 화면에 출력할 수 있게 print()함수 내부 줄 부분을 채워 프로그램을 작성하여 보시오.

```
>>> print(10,'+',20,'=',10+20)

>>> print(_____, ' + ', _____, ' + ', _____, ' = ', _____)
```

```
10 + 20 = 30
20 + 30 + 40 = 90
```


7. Jumsu01, Jumsu02 변수에 90과 100이 각각 저장되어있다. temp 변수를 하나 만들어서 Jumsu01과 jumsu02의 데이터를 서로 바꾸는 프로그램을 만들어보고 Jumsu01과 Jumsu02의 최종 결과를 출력하는 프로그램을 작성하여 보시오.

```
Jumsu01 값 : 90
Jumsu02 값 : 100
Jumsu01 값 : 100
Jumsu02 값 : 90
```


8. 본인의 학과, 이름, 연락처를 변수에 저장하여 출력하는 프로그램을 작성하여 보시오.

변수명- 학과: dept , 이름: name , 연락처: tel

```
★학과: 생물학과
★이름: 홍길동
★연락처: 010-1234-5678
```

9. 수강신청을 위해 학번과 비밀번호를 입력하여야 하는데 잊어버린 학생들에게 알려주고자 한다. 아래 결과에 따라 학번 비밀번호를 비롯한 학생 정보를 알려주는 프로그램을 작성하여 보시오.

입력사항

학과:

학번:

이름:

비밀번호:

```
 ★수강 신청 프로그램★
학과:수학교육과
학번:20221004
이름:홍길동
비밀번호:123456

==================================
★학과 학번 비밀번호를 확인합니다.★
==================================
수학교육과 홍길동 학생 안녕하세요!

==================================
학번과 비밀번호는 다음과 같아요.
학번: 수학교육과
비밀번호: 123456

==================================
```

연산자

C O N T E N T S

4.1 연산자란?

많은 사람들이 컴퓨터를 사용하는 이유는 복잡하고 어려운 계산을 빠르고 정확하게 하기 때문이다. 이러한 계산을 풀기 위해서는 다양한 연산자를 이용하여 명령을 내린다. [표 4-1]은 파이썬에서 사용하는 기본적인 연산자의 종류이다.

표 4-1 연산자의 종류

구분	연산자	설명
산술 연산자	+, -, *, /, %, //, **	덧셈, 뺄셈, 곱셈 등 산술 연산
비교 연산자	==, !=, > , >=, < , <=	같다, 같지않다, 크다 등 비교 연산
논리 연산자	and, or, not	True(참), False(거짓) 판별
대입 연산자	=, +=, -=,*=,/=,//=,**=	오른쪽 값을 연산하여 왼쪽에 대입

4.2 산술 연산자

파이썬에서 사용하는 기본적인 산술 연산자이다.

표 4-2 산술 연산자

연산자	의미	연산자	의미
+	더하기	%	나머지
−	빼기	//	몫
*	곱하기	**	거듭 제곱
/	나누기		

산술 연산자의 기본 예제는 다음과 같다.

>>> x=10	>>> x=10	#변수 사용예제
>>> y=20	>>> y=20	>>>jumsu01=90
>>> x+y	>>> x/y	>>>jumsu02=80
30	0.5	>>>result=jumsu01+jumsu02
>>> x-y	>>> x%y	170
-10	10	
>>> x*y	>>> x**2	>>>jumsu01=90
200	100	>>>jumsu02=80
	>>> x//y	>>>result=jumsu01*jumsu02
	0	7200

(1) 덧셈

문자열의 '+' 연산자 사용하는 예제이다.

```
>>> 'Hi'+'Hello'
'HiHello'
>>> 'G'+'O'+'O'+'D'
'GOOD'
>>> 'H'+'e'+'l'+'l'+'o'+ '길'+'동'
'Hello길동'
#문장 사이에 띄어쓰기는 공백 추가
#공백문자(' ')도 문자열로 인식
>>> 'Hi' +' ' + ' 길동'
'Hi  길동'
```

덧셈 연산자를 이용하면 문자열도 계산할 수 있다.

```
#변수 연결
>>> name1='홍'
>>> name2='길'
>>> name3='동'
```

```
>>> name1+name2+name3
'홍길동'
>>> result=name1+name2+name3
>>> print(result)
홍길동
```

name1 변수에 '홍' 데이터를, name2 변수에 '길', name3 변수에 '동'을 각각 할당하고 덧셈 연산자를 이용하여 계산하면 출력 결과는 '홍길동' 세 문자가 연결이 되어 출력된다. print( )함수를 이용하여 덧셈 연산자를 사용한 것을 result 변수에 다시 할당하여 print(result)를 출력하면 작은 따옴표가 없는 홍길동이 출력된다.

NOTE   덧셈 연산자 '+'는 정수와 문자열을 더하는 기능이 없기 때문에 덧셈을 할 수 없다는 에러가 나온다.

```
>>> '홍길동'+100
Traceback (most recent call last):
    File "<pyshell#13>", line 1, in <module>
        '홍길동'+100
TypeError: unsupported operand type(s) for +: 'int' and 'str'
```

자료형이 다른 덧셈 계산은 어떻게 하는지 알아본다.

① 정수(int)와 정수(int)를 더하면 결과 값은 정수형(int)
② 실수(float)와 실수(float)를 더하면 결과 값은 실수형(float)
③ 정수(int)와 실수(float)를 더하면 결과 값은 실수형(float)

정수(int)와 정수(int)	실수(float)와 실수(float)	정수(int)와 실수(float)
>>> var1=20	>>> var1=0.15	>>> var1=0.25
>>> var2=10	>>> var2=3.14	>>> var2=10
>>> result=var1+var2	>>> result=var1+var2	>>> result=var1+var2
>>> result	>>> result	>>> result
30	3.29	10.25

(2) 뺄셈

```
>>> 10-1
9
>>> 2.54-0.1
2.44
```

> **NOTE** 문자열과 문자열을 이용해서 뺄셈을 하면 에러가 나오므로 사용하지 않는다.
> ```
> >>> 'HI' - 'H'
> Traceback (most recent call last):
>     File "<pyshell#43>", line 1, in <module>
>         'HI' - 'H'
> TypeError: unsupported operand type(s) for -: 'str' and 'str'
> ```

(3) 곱셈

```
>>> 10*10
100
>>> 3.14*2
6.28
>>> num1=5
>>> num2=4
>>> result=num1*num2
```

```
>>> result
20
>>> print(result)
20
```

변수를 사용하는 계산에서는 result 변수만 출력 해보고, print( )함수를 사용하여 출력해본다.

다음 문자열과 곱셈을 사용하여 출력해본다.

문자열과 양수	문자열과 0	문자열과 음수
>>> 'Hello '*4	>>> 'Hello'* 0	>>> 'Hello'* -4
'Hello Hello Hello Hello '	' '	' '

문자를 반복하여 출력하고 싶으면 문자열과 반복 숫자를 계산하고 공백을 하나 주면 띄어쓰기가 가능하다. 0과 음수를 곱하면 어떠한 값도 없다는 의미의 (' ') 값이 출력된다. 곱셈에서 출력되는 (' ') 의미는 공백과 다른 의미이다.

(4) 나눗셈

```
>>> 15/3
5.0
>>> 3.14/2
1.57
>>> num1=10
>>> num2=2
>>> result=num1/num2
>>> result
5.0
>>> print(result)
5.0
```

(5) 몫, 나머지, 지수연산자

몫 연산자 '//' 는 나눗셈 연산을 했을 때 몫을 구하는 연산자로 사용된다.

```
>>> 15//2
7
>>> 15//3
5
>>> num1=15
>>> num2=4
>>> result=num1//num2
```

```
>>> result
3
>>> print(result)
3
```

나머지 연산자 '%'는 일상에서는 잘 사용하지 않지만 프로그래밍 언어에서는 자주 사용되는 연산자 중의 하나이다.

각각의 결과는 나머지 값을 출력한 값이다.

```
>>> 15%2
1
>>> 15%3
0
>>> num1=15
>>> num2=4
>>> result=num1%num2
>>> result
3
>>> print(result)
3
```

지수 연산자는 '**'로 표현하여 계산한다.

```
>>> 5**2
25
>>> 3.14**2
9.8596
>>> num1=15
>>> num2=4
>>> result=num1**num2
>>> result
50625
>>> print(result)
50625
```

4.3 대입 연산자

할당 연산자는 변수에 값을 대입할 때 사용하였던 = 기호이다. 복합 대입 연산자는 +=
처럼 할당 연산자와 다른 연산자를 합친 연산자이다. [표4-3]은 가장 많이 사용되는
복합 연산자이다.

표 4-3 복합 연산자

연산자	사용	의미	사용 예(x=10)

+=	x += y	x=x + y	>>> x+=10
			>>> x
			20

-=	x -= y	x=x - y	>>> x-=5
			>>> x
			5

*=	x *= y	x=x * y	>>> x*=5
			>>> x
			50

/=	x /= y	x=x / y	>>> x/=5
			>>> x
			2.0

%=	x %= y	x=x % y	>>> x%=4
			>>> x
			2

//=	x //= y	x=x // y	>>> x=x // 4
			>>> x
			2

**=	x **= y	x=x ** y	>>> x**4 10000

4.4 관계 연산자

관계 연산자는 두 개 이상의 식 또는 변수를 비교하기 위해 사용한다. 연산의 결과 값은 True(참) 또는 False(거짓)으로 나타낸다. 파이썬에서 사용되는 관계 연산자는 [표 4-4]와 같다.

표 4-4   관계 연산자

연산자	의미	설명	사용 예(x=10 , y=20)
==	x == y	x 와 y 값이 같다.	>>> x == y False
!=	x != y	x 와 y 값이 같지않다.	>>> x != y True
>	x > y	x 값이 y 값보다 크다.	>>> x > y False
<	x < y	x 값이 y 값보다 작다.	>>> x < y True
>=	x >= y	x 값이 y 값보다 크거나 같다.	>>> x >= y False
<=	x <= y	x 값이 y 값보다 작거나 같다.	>>> x <= y True

또한 관계 연산자는 문자(한 개의 문자) 또는 문자열(두 개 이상의 문자)도 비교 가능하다.

```
>>> str1 = 'Hello'
>>> str2 = 'Python'
>>> str1 == str2
False
```

```
>>> str1 = 'Hello'
>>> str2 = 'Python'
>>> str1 != str2
True
```

NOTE 문자열 비교 연산을 할 때 공백 문자도 비교대상이기 때문에 공백 문자까지 정확히 일치해야 한다.
```
>>> str1 = 'Hello'
>>> str2 = 'Hello '
>>> str1 == str2
False
```

다음 예제는 영화관에서 15세 이상 관람 가능한 영화를 매표하려고 한다. 나이를 입력받아 표를 살 수 있는지 확인하는 프로그램이다. 입력한 나이가 15이상이기 때문에 True를 출력한다.

```
>>> age=int(input('나이를 입력:'))
나이를 입력:16
>>> print('매표 가능여부:', age>=15)
매표 가능여부: True
```

다음 예제는 정수 하나를 입력 받아 5의 배수인지 확인하는 프로그램이다. 5의 배수가 아니기 때문에 False를 출력한다.

```
>>> number=int(input('정수 입력:'))
정수 입력:26
>>> print('입력한 정수는 5의 배수인가: ', ( number % = 5 ) == 0)
입력한 정수는 5의 배수인가:  False
```

4.5 논리 연산자

논리 연산자는 조건식이 여러 개 결합되는 경우 즉 비교 연산자와 함께 사용되는 경우가 많다. 즉 나이가 10세 이상이고 키가 130이상인 조건이나, 어떤 수가 3의 배수이거나 5의 배수인지 확인하는 것처럼 조건 2개 이상이 결합되어 전체 식의 True나 False를 판단하는 것이다. [표 4-5]는 파이썬에서 사용하는 논리 연산자이다.

표 4-5   논리 연산자

연산자	의미	설명	사용 예

and	x and y	x 와 y 값 둘 다 참일 때만 True(참)	>>> str1=True
			>>> str2=True
			>>> str1 and str2
			True

or	x or y	x 와 y 값 둘 중 하나만 참일 때 True(참)	>>> str1=True
			>>> str2=False
			>>> str1 or str2
			True

not	not x	x가 참이면 False(거짓),
		x가 거짓이면 True(참)
			>>> str1=True
			>>> not str1
			False
			>>> str1=False
			>>> not str1
			True

NOTE

str1에 할당하는 '참' 인 데이터의 첫 글자는 반드시 True 로 대문자 'T'로 표현 해줘야 한다. 'true'로 할당하면 오류가 나온다.

```
>>> str1=true
Traceback (most recent call last):
    File "<pyshell#156>", line 1, in <module>
        str1=true
NameError: name 'true' is not defined
```

다음 예제는 결석횟수와 평균 점수를 입력받아 결석횟수가 3회 초과이거나 평균 점수가 40점 미만이면 '과락'이라고 판정해보는 예제이다.

```
>>> absence=int(input('결석횟수 입력:'))
결석횟수 입력:5
>>> avg_score=float(input('평균 점수 입력:'))
평균 점수 입력:90
>>> print('과락 여부= ' , (absence>3) or (avg_score<40) )
과락 여부=  True
```

다음 예제는 학번과 비밀번호가 일치해야만 수강 신청을 할 수 있는 프로그램이다. 학번과 비밀번호를 입력받아 학생 정보가 일치하는지 확인해본다.

```
>>> classNum='20221004'
>>> pwd='pink1004'
>>> classNum_input=input('학번을 입력하시오:')
학번을 입력하시오:20221004
>>> pwd_input=input('비밀번호를 입력하시오:')
비밀번호를 입력하시오:black1004
>>> print('로그인을 확인: ' , (classNum==classNum_input) and (pwd==pwd_input))
로그인을 확인:  False
```

학번과 비밀번호 두 개가 정확히 일치해야 하기 때문에 and 연산자를 사용한 결과 일치하지 않기 때문에 False가 출력되었다.

4.6   연산자 우선 순위

우선 순위는 많은 연산자들을 계산 할 때 어떤 연산을 먼저 수행해야 하는지 결정하는 순서이다. 우리가 수학에서는 괄호( ) 수식이 있으면 괄호( ) 수식을 먼저 수행하고 곱셈과 나눗셈 그 다음 덧셈과 뺄셈을 계산해주었다. 즉 연산 수행 우선 순위는 괄호( ), 곱셈 또는 나눗셈, 덧셈 또는 뺄셈 순으로 수행된다. [표 4-6]은 파이썬에서 사용되는 연산자 중 우선순위가 높은 순으로 정리 되었고, 표에는 없지만 괄호( )가 우선순위가 가장 높다.

표 4-6   연산자 우선순위

연산자 우선순위	설명
**	지수 연산자
* , / , % , //	곱셈, 나눗셈, 나머지, 몫 연산자
+ , -	덜셈, 뺄셈
> , >= , < , <=	비교 연산자
==, !=	같다, 같지않다를 나타내는 동등 연산자
=, +=, -= , *=, /= , %=, //= , **=	대입, 복합 연산자
and , or , not	논리 연산자

실습예제 4.1

[요구조건]

변수 계산을 하는 예제이다. 밑줄 부분에 출력 결과를 작성하여 보시오.

```
>>> var1=0.25
>>> var2=2.232
>>> result=var1+var2
>>> result
_____
```

```
>>> float(result)
_____
>>> int(result)
_____
```

 실습예제 4.2

(요구조건)

영희의 중간고사 점수의 총 합계를 구하는 예제이다. 국어, 영어, 수학 과목의 3과목의 총합계 점수
를 출력하는 프로그램을 작성하시오.

```
>>> kor = 90
>>> eng = 80
>>> math = 90
>>> total = kor + eng + math
>>> print('합계 점수:' , total)
```

```
합계 점수: 260
```

 실습예제 4.3

(요구조건)

영희의 중간고사 점수의 총 합계를 구하는 예제이다. 국어, 영어, 수학 과목의 3과목의 점수를 입력
받아서 총 합계를 출력하는 프로그램을 작성하시오.

```
#ex4-3.py

kor=int(input('국어 점수:'))
mat=int(input('수학 점수:'))
eng=int(input('영어 점수:'))
```

```
total=kor+mat+eng

print('합계 점수:' , total)
```

국어 점수:90
수학 점수:80
영어 점수:100
합계 점수: 270

 실습예제 4.4

요구조건

영희의 중간고사 총점은 260점, 기말고사 점수는 280점이다. 기말고사는 중간고사 점수보다 몇점 상승했는지 출력해보는 프로그램을 작성하시오.

```
>>> mid=260
>>> fin=280
>>> result=fin-mid
>>> print('상승 점수 :' , result)
```

상승 점수 : 20

 실습예제 4.5

요구조건

가로, 세로 길이 값을 할당하여 사각형의 넓이를 계산하는 프로그램을 작성하여 보시오.

```
>>> width=20
>>> height=50
>>> area=width*height
>>> print('넓이 :' , area, 'm²' )
```

넓이 : 1000 m^2

 실습예제 4.6

(요구조건)

몸무게와 신장의 데이터 값을 할당하여 신체 질량지수(BMI)를 계산해주는 프로그램을 작성하여 보
시오. (BMI= 몸무게(kg)/키^2(m^2))

```
>>> weight=78
>>> height=1.87
>>> BMI=weight/(height*height)
>>> print('BMI : ', int(BMI))
```

BMI : 22

 실습예제 4.7

(요구조건)

몸무게와 신장의 데이터 값을 입력받아 신체 질량지수(BMI)를 계산해주는 프로그램을 작성하여 보
시오. 단 신장은 m로 변환하여 입력한다. (BMI= 몸무게(kg)/키^2(m^2))

```
#ex4-7.py

weight=int(input('당신의 몸무게를 입력:'))
height=float(input('당신의 키를 입력(단 m로 입력):'))

BMI=weight/(height*height)
print('BMI : ', int(BMI))
```

당신의 몸무게를 입력: 56
당신의 키를 입력(단 m로 입력): 1.78
BMI : 17

 실습예제 4.8

요구조건

초를 할당받아 분, 초를 구해보는 예제이다. 777초는 몇 분 몇 초인지 출력하는 프로그램을 작성하여 보시오.

```
>>> sec=777
>>> min=sec // 60
>>> sec = sec % 60
>>> print('777초는 ' ,min , '분 ', sec , '초 입니다.')
```

777초는 12 분 57 초 입니다.

 실습예제 4.9

요구조건

연필의 개수를 구하는 예제이다. 총 365개의 연필은 몇 박스 몇 개인지 출력하는 프로그램을 작성하여 보시오. (연필 한 박스=12개)

```
>>> pencil=365
>>> box=pencil // 12
>>> zaru =pencil % 12
>>> print(box , '박스' , zaru , '개 ')
```

30 박스 5 개

 **실습예제 4.10**

(요구조건)

적금 상품을 구하는 예제이다. 정기 예금을 복리로 계산하고 100만원씩 5년 만기 예금 상품에 가입했을 때 5년 후 받을 총 수령 액을 출력하는 프로그램을 작성하시오. 이자율은 연 3%이다.

```
>>> money = 1000000
>>> rate = 0.03
>>> money+= money* rate #1년 후 총 금액
>>> money+= money* rate #2년 후 총 금액
>>> money+= money* rate #3년 후 총 금액
>>> money+= money* rate #4년 후 총 금액
>>> money+= money* rate #5년 후 총 금액
>>> print('5년 후 총 수령액:' , int(money) , '원')
```

5년 후 총 수령액: 1159274 원

 **실습예제 4.11**

(요구조건)

몫과 나머지를 계산해보는 예제이다. 네자리 정수 데이터를 입력받아 천의 자리, 백의 자리, 십의 자리, 일의 자리 정수 값을 출력하는 프로그램을 작성하시오.

```
#ex4-12.py

num=int(input('네자리 숫자를 입력: '))
print('입력한 네자리 숫자 :' , num)
print("====================")
n1000=num//1000        #천의 자리
num=num%1000
```

```
n100=num//100          # 백의자리
num=num%100


n10=num//10            # 십의자리
n1=num%10              # 일의자리
```

```
print('천의자리',n1000)
print('백의자리',n100)
print('십의자리',n10)
print('일의자리',n1)
print("===================")
```

```
네자리 숫자를 입력: 4567

입력한 네자리 숫자 : 4567
===================
천의자리 4
백의자리 5
십의자리 6
일의자리 7
===================
```

실습예제 4.12

요구조건

반지름 값 4를 입력받아 원의 면적을 계산하는 프로그램을 작성하시오.
공식: $area = \pi r^2$

```
#ex4-13.py

radius=int(input('반지름을 입력:'))
area=3.14*radius*radius
print('원의 면적은', area, '입니다.')
```

원의 면적은 50.24 입니다.

1. 아메리카노 커피 한잔을 구입하기 위해 2000원을 지불하고 커피값 1250원을 계산하였다. 잔돈은 500원짜리와 100원짜리, 50원 짜리로 받고자 한다. 잔돈을 출력하는 프로그램을 작성하여 보시오.

    ```
    잔돈: 750 원
    500원 잔돈: 1
    100원 잔돈: 2
    50원 잔돈: 1
    10원 잔돈: 0
    ```

2. 파이썬, Java, AI 세과목에 대한 성적은 다음과 같다. 합계와 평균을 구하는 프로그램을 작성하시오.

    [변수 값] python=99 , Java=89 , AI=100

    ```
    세 과목의 합 : 288 점
    평균: 96.0 점
    ```

3. 초 단위 시간 값은 7777초이다. 몇 시간, 몇 분, 몇 초인지 계산하는 프로그램을 작성하시오.

    [변수 값] cho=7777

    ```
    7777 초는 2 시간 9 분 37 초
    ```

4. 수입 품목은 15000원이다. 수입 금액에 세금 15%를 계산하여 보고 세금이 부과된 최종 수입 금액은 얼마인지 출력하는 프로그램을 작성하시오.

    ```
    Tax : 2250.0
    총 쇼핑 금액은 17250 입니다.
    ```

5. 한 달 전기 사용료를 구하는 문제이다. 전기 사용 용량에 따라 1KW 사용할 때 마다 88.5원씩 부가. 기본요금은 660원. 세금은 9% 부가. 세금을 포함한 총 한 달 전기 사용 금액은 얼마인지 출력하는 프로그램을 작성하여 보시오. (전기 사용 용량: 1024 kw)

> 기본 사용 요금: 91284 원
> 세금: 8215 원
> 총 사용 요금: 9239 원

6. 정확한 화학 실험을 하기 위해 총 3번의 실험을 했다. 처음 실험의 25%, 두 번째 실험의 60%, 마지막 세 번째 실험의 15%를 더하여 최종 실험 결과를 출력하는 프로그램을 작성하시오.

[요구사항] 실험 1: 99 , 실험 2: 98, 실험 3:89

> 최종 실험 결과: 96

7. 해수면에서 10m 내려갈 때마다 수온이 0.5도씩 내려간다고 가정해보자. 수심데이터 값을 사용하여 수온을 출력하는 프로그램을 작성하시오.

[요구사항] 수심 0m : 10 , 10m:9.5 , 20m:9 , 30m :8.5

> 수온1: 10.0 도
> 수온2: 9.5 도
> 수온3: 9.0 도
> 수온4: 8.5 도

8. 섭씨 온도를 입력받아 화씨 온도로 출력하는 프로그램을 작성하시오.

[공식] 화씨온도 =(9/5)*섭씨온도 +32

[입력사항] 섭씨온도를 입력:

```
섭씨온도를 입력:30.5
섭씨 30.5 도는 화씨 86.9 도
```

9. 길이(cm)를 입력받아 inch로 환산하는 프로그램을 작성하시오.

[요구사항] 1cm는 0.39 inch

[입력사항] 센티미터 입력:

```
센티미터를 입력하시오:25.3
25.3 cm 는 9 inch 입니다.
```

10. 정수 값 두 개를 입력받아 정수가 짝수이면 True를, 홀수이면 False를 출력하는 프로그램을 작성하시오.

[입력사항] 첫 번째와 두 번째 정수 입력:

```
첫 번째 정수 입력:55
두 번째 정수 입력:56
첫 번째 수는  짝수인가요? False
두 번째 수는  짝수인가요? True
```

11. 세 자리 정수를 입력받아 이때 입력받은 정수를 역순으로 출력하는 프로그램을 작성하시오.

[요구사항] 몫과 나머지 연산자 사용

[입력사항] 세 자리 정수 입력:

```
세 자리 정수를 입력 하세요 : 123
일의자리= 3
십의자리= 2
백의자리= 1
```

12. 식품 중에서 발효과정을 거쳐 만들어지는 식품들이 많다. 이러한 발효과정은 박테리아 같은 미생물이 작용해서 다른 물질로 바뀌는 현상인데, 시간을 입력 받아 시간에 대한 박테리아 개체 수를 나타내는 프로그램을 작성하시오.

[입력사항]

박테리아 시작 개체수:

경과 시간:

[공식] 시작개체수$*2^{경과시간}$

```
박테리아 시작 개체수 입력:10
경과 시간 입력:10
10 개의 박테리아의 10 시간 후 개체 수는  10240 입니다.
```

컬렉션 자료형

CONTENTS

5.1   리스트

5.1.1 리스트(list)와 튜플 (tuple)

대부분의 컴퓨터 프로그래밍 언어에서는 첫 번째, 두 번째, …, 마지막 항목(요소, 원소)의 정수값의 위치로 시퀀스의 항목을 나타낸다. 파이썬의 문자열은 문자의 시퀀스이다. 반면에 리스트(list)는 모든 것의 시퀀스이다. 파이썬에는 리스트와 튜플이라는 다른 구조의 시퀀스가 있고, 0 혹은 그 이상의 항목이 포함되어 있다.

- 튜플은 항목을 할당하면 변경할 수 없지만, 리스트는 변경 가능하다. 즉, 항목을 할당하고 자유롭게 수정하거나 삭제할 수 있다.
- 리스트는 데이터를 순차적으로 파악하기 쉽고, 문자열과는 달리 내용의 순서를 변경하는 것도 가능하다. 또한 리스트의 현재 위치에서 새로운 요소를 추가하거나 삭제 혹은 기존 요소를 덮어쓸 수도 있다. 리스트에는 동일한 값이 여러 번 등장할 수 있다.

리스트를 대신하여 튜플을 사용할 수 있지만, 튜플은 리스트의 append( ), insert( ) 등의 함수가 없고, 있는 함수도 매우 적다. 더구나 튜플은 생성하면 수정할 수가 없다. 리스트 대신 튜플을 사용하는 이유는 아래와 같다. 그러나 일반적으로 리스트와 딕셔너리를 튜플보다 더 많이 사용한다.

- 튜플은 리스트보다 더 적은 공간을 사용한다.
- 실수로 튜플의 항목이 손상될 경우가 없다.
- 튜플을 딕셔너리 키로 사용할 수 있다.
- 네임드 튜플은 객체의 단순한 대안이 될 수 있다.
- 함수의 인자들은 튜플로 전달된다.

5.1.2 리스트(list) 생성

리스트는 0 혹은 그 이상의 요소로 만들며, 콤마(,)로 구분하고, 대괄호([ ])로 둘러싸여
나타낸다.

```
>>> empty_list = [ ]
>>> days = ['monday', 'tuesday'. 'wednesday' ]
>>> last_names = ['Kim', 'Lee', 'Park' ]
>>> empty_list = list ( )               # 리스트 ( ) 함수로 빈 리스트를 할당할 수 있음
>>> empty_list
[ ]
```

5.1.3 list( ), split( ) 함수

list( ) 함수는 다른 데이터 타입을 리스트로 변환한다. split( ) 함수는 문자열을 list로
변환한다.

```
>>> list('dog')                 # 하나의 단어를 한 문자의 문자열 리스트로 변환
['d', 'o', 'g']
>>> birthday = '29/9/2021'
>>> birthday.split('/')         #split( )은 문자열을 구분자로 나누어 리스트로 변환
['29', '9', '2021']
>>> a = 'A/B//C/D///E'          # 두 문자 문자열 //을 구분자로 사용하는 경우
>>> a.split('//')
['A/B', 'C/D', '/E']
```

5.1.4 인덱스(index) 또는 오프셋(offset)으로 항목 얻기

문자열과 동일하게 리스트는 오프셋으로 하나의 특정값을 추출할 수 있다. 오프셋의
위치가 리스트의 범위를 벗어나면 에러가 발생된다.

```
>>> address = ['Gwangju', 'Dong-gu', 'Pilmun-daero', '309']
>>> address[0]
'Gwangju'
>>> address[1]
'Dong-gu'
>>> address[2]
'Pilmun-daero'
```

```
>>> address[3]
'309'
>>> address[4]
Traceback (most recent call last):
   File "<pyshell#56>", line 1, in <module>
      address[4]
IndexError: list index out of range
>>> address [-1]
'309'
>>> address [-2]
'Pilmun-daero'
>>> address [-3]
'Dong-gu'
```

5.1.5 리스트 안의 리스트

리스트는 다른 타입의 요소도 포함할 수 있다.

```
>>> contury1 = ['Korea', 'China', 'Japen']
>>> contury2 = ['USA', 'France', 'Italy']
>>> contury3 = ['Germany', 'Spain', 'Greece']
>>> all_contury = [contury1, contury2, contury3]
>>> all_contury
[['Korea', 'China', 'Japen'], ['USA', 'France', 'Italy'], ['Germany', 'Spain',
'Greece']]
>>> all_contury[0]
['Korea', 'China', 'Japen']
```

```
>>> all_contury[1]
['USA', 'France', 'Italy']
>>> all_contury[0][0]    # 앞의 [0]은 all_contury의 첫 번째 항목을 가리키고,
'Korea'                       뒤의 [0]은 다시 첫 번째 항목의 첫 번째 항목을 가리킨다.
```

5.1.6 offset으로 항목 변경

offset으로 항목을 변경할 수 있다.

```
>>> address = ['Gwangju', 'Dong-gu', 'Pilmun-daero', '309']
>>> address[3] = '310'
>>> address
['Gwangju', 'Dong-gu', 'Pilmun-daero', '310']
```

리스트의 offset은 리스트에서 유효한 위치여야 한다. 문자열은 불변이기 때문에 이런 방식으로 변경할 수 없지만, 리스트는 변경 가능하다. 리스트는 항목 수와 항목 내용을 변경할 수 있다.

5.1.7 슬라이스([:]) 항목 추출

슬라이스를 사용해서 리스트의 "서브(하위)" 시퀀스를 추출할 수 있다. 리스트의 슬라이스 또한 리스트이다.

```
>>> address = ['Gwangju', 'Dong-gu', 'Pilmun-daero']
>>> address [0 : 2]
['Gwangju', 'Dong-gu']
```

문자열과 마찬가지로 슬라이스에 스텝을 사용할 수 있다.

```
>>> address = ['Gwangju', 'Dong-gu', 'Pilmun-daero']
>>> address [: : 2]              # 처음부터 오른쪽으로 2칸씩 항목을 추출
['Gwangju', 'Pilmun-daero']
>>> address [: : -2]             # 끝에서 왼쪽으로 2칸씩 항목을 추출
['Pilmun-daero', 'Gwangju']
>>> address [: : -1]             # 리스트 반전
['Pilmun-daero', 'Dong-gu', 'Gwangju']
```

5.1.8 리스트 끝에 항목 추가 : append()

append( )는 리스트 끝에 항목을 추가한다.

```
>>> address.append('309')
>>> address
['Gwangju', 'Dong-gu', 'Pilmun-daero', '309']
```

5.1.9 리스트 병합 : extend() 또는 +=

extend( ) 또는 +=를 사용하여 다른 리스트를 병합할 수 있다.

```
>>> address = ['Gwangju', 'Dong-gu', 'Pilmun-daero', '309']
>>> others = ['Seo-gu', 'Nam-gu']
>>> address.extend(others)
>>> address
['Gwangju', 'Dong-gu', 'Pilmun-daero', '309', 'Seo-gu', 'Nam-gu']
>>> address = ['Gwangju', 'Dong-gu', 'Pilmun-daero', '309']
>>> others = ['Seo-gu', 'Nam-gu']
>>> address += others
>>> address
['Gwangju', 'Dong-gu', 'Pilmun-daero', '309', 'Seo-gu', 'Nam-gu']
```

append( )를 사용하면 항목을 병합하지 않고, others가 하나의 리스트로 추가된다. 이 것은 리스트가 다른 타입의 요소를 포함할 수 있음을 보여준다.

```
>>> address = ['Gwangju', 'Dong-gu', 'Pilmun-daero', '309']
>>> others = ['Seo-gu', 'Nam-gu']
>>> address.append(others)
>>> address             # 4개의 문자열과 두 문자열의 리스트가 존재
['Gwangju', 'Dong-gu', 'Pilmun-daero', '309', ['Seo-gu', 'Nam-gu']]
```

5.1.10 offset과 insert()로 항목 추가

insert( )는 원하는 위치에 항목을 추가할 수 있다. offset 0은 시작 지점에 항목을 삽입 하고, 리스트의 끝을 넘는 offset은 append( )처럼 끝에 항목을 추가한다.

```
>>> address = ['Gwangju', 'Dong-gu', 'Pilmun-daero', '309']
>>> address.insert(2, 'Seo-gu')
>>> address
['Gwangju', 'Dong-gu', 'Seo-gu', 'Pilmun-daero', '309']
>>> address.insert(10, '310')
>>> address
['Gwangju', 'Dong-gu', 'Seo-gu', 'Pilmun-daero', '309', '310']
```

5.1.11 offset으로 항목 삭제 : del

명령어 del을 사용하여 위에서 마지막에 추가한 '310'을 삭제하자.

```
>>> del address[-1]
>>> address
['Gwangju', 'Dong-gu', 'Seo-gu', 'Pilmun-daero', '309']
```

offset으로 리스트의 특정 항목을 삭제하면, 삭제된 항목 이후의 항목들이 한 칸씩 앞으로 이동하고 리스트의 전체 길이가 1개 감소한다.

```
>>> address = ['Gwangju', 'Dong-gu', 'Seo-gu', 'Pilmun-daero', '309']
>>> address[2]
'Seo-gu'
>>> del address[2]
>>> address
['Gwangju', 'Dong-gu', 'Pilmun-daero', '309']
>>> address[2]
'Pilmun-daero'
```

5.1.12 값으로 항목 삭제 : remove()

리스트에서 삭제할 항목의 위치를 모르는 경우, remove( )와 값으로 해당 항목을 삭제할 수 있다. Pilmun-daero를 삭제해 보자.

```
>>> address = ['Gwangju', 'Dong-gu', 'Seo-gu', 'Pilmun-daero', '309']
>>> address.remove('Pilmun-daero')
>>> address
['Gwangju', 'Dong-gu', 'Seo-gu', '309']
```

5.1.13 offset으로 항목을 얻은 후 삭제 : pop()

pop( )은 리스트에서 항목을 가져오는 동시에 삭제한다. offset과 함께 pop( )을 호출했다면 그 offset의 항목이 반환(출력)된다. 인자가 없다면 −1을 사용하며, pop(0)은 리스트의 head(머리, 시작) 항목을 반환한다. pop( ) 또는 pop(−1)은 리스트의 tail(꼬리, 끝) 항목을 반환한다.

```
>>> address = ['Gwangju', 'Dong-gu', 'Seo-gu', '309']
>>> address.pop()
'309'
>>> address
['Gwangju', 'Dong-gu', 'Seo-gu']
>>> address.pop(1)
'Dong-gu'
>>> address
['Gwangju', 'Seo-gu']
```

5.1.14 항목값으로 항목 offset 찾기 : index()

index( )는 리스트에서 항목 값의 offset을 알려준다.

```
>>> address = ['Gwangju', 'Dong-gu', 'Seo-gu', '309']
>>> address.index('Dong-gu')
1
```

5.1.15 항목값의 갯수 세기 : count()

count( )은 리스트에서 특정 항목 값이 몇 개나 있는지 알려준다.

```
>>> address = ['Gwangju', 'Dong-gu', 'Seo-gu', '309']
>>> address.count('309')
1
>>> address.count('Pilmun-daero')
0
>>> address1 = ['Gwangju', 'Dong-gu', '309', '309']
>>> address1.count('309')
2
```

5.1.16 문자열로 변환하기 : join()

join( )은 문자열 메서드지 리스트 메서드는 아니며, 그러나 join( )의 인자는 문자열 혹은 반복 가능한 문자열의 시퀀스(리스트 포함)이고 결과로 반환되는 값은 문자열이다. 주의할 것은 address.join(',')로 사용하면 안된다.

```
>>> address = ['Gwangju', 'Dong-gu', 'Seo-gu', '309']
>>> ','.join(address)
'Gwangju, Dong-gu, Seo-gu, 309'
```

join( )이 리스트 메서드였다면, 튜플과 문자열 같은 다른 반복 가능한 객체와 함께 사용하지 못할 것이다. 어떤 반복 가능한 타입을 처리하기 위해서는 각 타입을 실제로 병합할 수 있도록 특별한 코드가 필요하다. 아래는 join( )을 split( )의 반대라고 생각하면 된다.

```
>>> friends = ['Hun', 'Ji-yeon', 'Seo-woo']
>>> seperator = '*'
>>> joined = seperator.join(friends)
>>> joined
'Hun * Ji-yeon * Seo-woo'
>>> seperated = joined.split(seperator)
>>> seperated
['Hun', 'Ji-yeon', 'Seo-woo']
>>> seperated == friends
True
```

5.1.17 정렬하기 : sort()

리스트에서는 offset을 이용하여 정렬하기도 하고, 값을 이용하여 정렬할 수도 있다. 정렬할 때 아래 두 개의 함수를 사용한다.

* sort( )는 리스트 자체를 내부적으로 정렬한다.
* sorted( )는 리스트의 정렬된 복사본을 반환한다.
* 리스트의 항목이 숫자인 경우, 기본적으로 오름차순으로 정렬하며, 문자열인 경우는 알파벳 순으로 정렬한다.

```
>>> friends = ['Ji-yeon', 'Seo-woo', 'Hun']
>>> sorted_friends = sorted(friends)
>>> sorted_friends
['Hun', 'Ji-yeon', 'Seo-woo']
>>> friends
['Ji-yeon', 'Seo-woo', 'Hun']      # sorted_friends는 복사본으로 원본은 변경되지 않는다.
>>> friends.sort()
>>> friends
['Hun', 'Ji-yeon', 'Seo-woo']      # sort()는 정렬된 friends으로 변경한다.
```

friends와 같이 리스트 요소들이 모두 같은 타입인 경우는 sort( )는 제대로 잘 정렬된다. 그리고 정수와 실수(부동소수점) 같이 혼합된 타입도 정렬할 수 있다. 왜냐하면, 파이썬이 자동으로 타입을 형변환해서 항목들을 정렬하기 때문이다.

```
>>> numbers  = [3, 1, 0, 2.5, 5]
>>> numbers.sort()
>>> numbers
[0, 1, 2.5, 3, 5]
```

기본 정렬 방식은 오름차순이며, 만약 내림차순으로 정렬하려면 인자에 reverse = True를 추가한다.

```
>>> numbers  = [3, 1, 0, 2.5, 5]
>>> numbers.sort(reverse = True)
>>> numbers
[5, 3, 2.5, 1, 0]
```

5.1.18 항목 전체 갯수 얻기 : len()

len( )은 리스트의 항목 전체 갯수를 반환한다.

```
>>> numbers  = [3, 1, 0, 2.5, 5]
>>> len(numbers)
5
```

5.1.19 할당 : =

한 리스트를 변수 두 곳에 할당했을 경우, 한 리스트를 변경하면 다른 리스트도 같이 변경된다.

```
>>> n = [1, 2, 3]
>>> n
[1, 2, 3]
>>> m = n
>>> m
[1, 2, 3]
>>> n[0] = 'super'
>>> n
['super', 2, 3]
>>> m
['super', 2, 3]          # m에도 n과 같이 해당 항목이 변경된다.
>>> m[0] = 'ultra'
['ultra', 2, 3]
>>> n
['ultra', 2, 3]          # m은 단지 같은 리스트 객체의 n을 참조하므로,
                           n 혹은 m 리스트의 내용을 변경하면 두 변수 모두 변경된다.
```

5.1.20 복사 : copy()

임의 리스트를 3가지 방법을 이용하여 새로운 리스트로 복사할 수 있다.

* copy( ) 함수
* list( ) 변환 함수
* 슬라이스 [:]

```
>>> u = [1, 2, 3]          # 원본 리스트
>>> x = u.copy()
>>> x                      # 복사본 리스트
[1, 2, 3]
>>> y = list(u)
>>> y                      # 복사본 리스트
[1, 2, 3]
>>> z = u[:]
>>> z                      # 복사본 리스트
[1, 2, 3]
>>> u[0] = 'super'
>>> u                      # 원본 리스트의 항목을 변경
['super', 2, 3]
>>> x                      # 복사본 리스트에는 영향이 없다.
[1, 2, 3]
>>> y                      # 복사본 리스트에는 영향이 없다.
[1, 2, 3]
>>> z                      # 복사본 리스트에는 영향이 없다.
[1, 2, 3]
```

실습예제 5.1

(요구조건)

다음 알파벳 문자를 7개 가지는 리스트를 만들고 마지막에 그 다음 문자를 추가하여 출력하는 프로그램을 작성하여 보시오.

```
#ex5-1.py

A_list = ['a', 'b', 'c', 'd', 'e', 'f', 'g']
A_list.append('h')
print (A_list)
```

```
['a', 'b', 'c', 'd', 'e', 'f', 'g', 'h']
```

 실습예제 5.2

(요구조건)

A_list = 10, 20, 30, 40, 50의 원소가 있다. 반복구조를 이용하여 A_list의 합을 구하여 출력하는 프로그램을 작성하여 보시오.

```
#ex5-2.py

A_list = [10, 20, 30, 40, 50]

total = 0
for i in A_list :
    total += i

print('리스트의 원소들 : ', A_list)
print('리스트의 원소들의 합 : ', total)
```

```
리스트의 원소들 : [10, 20, 30, 40, 50]
리스트의 원소들의 합 : 150
```

실습예제 5.3

(요구조건)

A_list = 10, 20, 30, 40, 50의 원소가 있다. 반복구조를 이용하여 A_list의 곱을 구하여 출력하는 프로그램을 작성하여 보시오.

```
#ex5-3.py

A_list = [10, 20, 30, 50, 60]

total = 1
for i in A_list :
    total *= i

print('리스트의 원소들 :', A_list)
print('리스트의 원소들의 곱 :', total)
```

```
리스트의 원소들 : [10, 20, 30, 40, 50]
리스트의 원소들의 합 : 12000000
```

실습예제 5.4

(요구조건)

A_list = 10, 20, 30, 40, 50의 원소가 있다. 반복구조를 이용하여 A_list의 원소 중 가장 큰 값을 구하여 출력하는 프로그램을 작성하여 보시오.

```
#ex5-4.py

A_list = [10, 20, 30, 40, 50]
max = A_list[0]
```

```
for i in A_list :
    if i > max:
        max = i

print('리스트의 원소들 :', A_list)
print('리스트의 원소들 중 최댓값 :', max)
```

```
리스트의 원소들 : [10, 20, 30, 40, 50]
리스트의 원소들 중 최댓값 : 50
```

 실습예제 5.5

(요구조건)

사용자로부터 5개의 수(10, 20, 30, 40, 50)를 입력받아 A_list를 만든 후 sum( ), min( ),
max() 함수를 사용하여 입력된 원소들의 합, 평균, 최댓값, 최솟값을 구하여 출력하는 프로그램을
작성하여 보시오. (평균은 sum( ) / len( )으로 구함)

```
#ex5-5.py

s = input('5개의 수를 입력하세요:')
A_list = []

for n in s.split():
    A_list.append(int(n))

print('합:', sum(A_list))
print('평균:', sum(A_list)/len(A_list))
print('최댓값:', max(A_list))
print('최솟값:', min(A_list))
```

```
5개의 수를 입력하세요:10 20 30 40 50
합: 150
평균: 30.0
최댓값: 50
최솟값: 10
```

5.2 튜플

튜플(tuple)은 리스트와 비슷하게 데이터를 묶어서 처리하는 컬렉션 자료형이다. 튜플에 포함된 아이템을 수정할 수 없는 것이 리스트와 가장 큰 차이점이다. 또한 튜플 내부의 객체(항목, 요소, 원소)를 변경하거나 삭제하는 것도 불가능하다. 급여 명세서와 같이 관리자의 권한 없이 수정해서는 안되는 데이터들인 경우에는 리스트보다 튜플을 사용하는 것이 안전하다.

튜플은 저장된 데이터를 변경시킬 수 없다는 점만 제외하면 리스트와 완전 동일하다.

5.2.1 튜플 선언과 조회

튜플 선언은 리스트와 같다. 단 리스트에서는 대괄호([])를 사용했지만 튜플에서는 (())
소괄호를 사용한다. 하지만 괄호를 제외하고 항목들을 나열만 해도 선언 가능하다. 반드시 튜플은 쉼표(,)를 이용하여 데이터를 구분한다.

튜플을 선언하는 여러 가지 방법은 다음과 같다.

표 5-1 튜플을 선언하는 방법

튜플 선언 방법	사용 예
빈 튜플	>>> number=( )

괄호 없는 튜플 선언	>>> number= 1,2,3,4,5 #괄호 없이 튜플 선언 가능
	>>> number
	(1, 2, 3, 4, 5)

기본적인 튜플 선언	>>> number=(1,2,3,4,5) #쉼표(,)를 이용하여 데이터 구분

리스트로부터
튜플 선언
	>>> list_num=[1,2,3,4,5] #리스트 형태
	>>> tuple_num=tuple(list_num) #튜플로 전환
	　　　　　　　　　　　　　　　　#리스트로 전환할때는 list()
	>>> tuple_num
	(1, 2, 3, 4, 5)

정수 튜플을 선언 했을 때 자료형은 type( ) 함수를 사용하여 확인한다.

잘못된 튜플 선언 예	올바른 튜플 선언 예

>>> num=(1)
>>> num
1
>>> type(num)
<class 'int'>
	>>> num=(1 ,)
	>>> num
	(1,)
	>>> type(num)
	<class 'tuple'>

정수 데이터 튜플을 한 개만 선언할 때 num=(1) 또는 num=1 이라고 선언하면 int형인
정수형으로 할당이 된다. 튜플로 선언을 하려면 반드시 num=(1 ,)와 같이 선언하여야
한다.

```
>>> fruits=('포도' ,'딸기' ,'복숭아' ,'레몬')
>>> fruits
('포도' ,'딸기' ,'복숭아' ,'레몬')
```

'포도' ,'딸기' ,'복숭아' ,'레몬'은 fruits 라는 변수에 저장된다.

튜플은 리스트에서 사용했던 것처럼 인덱스를 이용하여 항목을 읽어들인다. 다음 예제
문을 살펴보자.

```
>>> fruits=('포도' ,'딸기' ,'복숭아' ,'레몬')          # 튜플선언
>>> fruits[2]                                      # 인덱스가 2 즉 3번째인 아이템 출력
 '복숭아'                                            # 마지막 인덱스 아이템 출력
>>> fruits[len(fruits)-1]
 '레몬'
```

특정 아이템의 인덱스를 확인할 때는 index( ) 함수를 사용한다. fruits 튜플에서 '딸기'
와 '레몬'은 몇 번 인덱스에 있는지 확인해보자.

```
>>> fruits=('포도' ,'딸기' ,'복숭아' ,'레몬')
>>> fruits.index('딸기')
1
>>> fruits.index('레몬')
3
```

'딸기' 인덱스는 1, 즉 두 번째에 해당되며, '레몬' 인덱스는 3, 즉 4번째에 해당된다.

sports 튜플에서 사용자가 운동종목을 입력하면 운동종목에 해당하는 인덱스를 출력하여 보자.

```
sports=('양궁', '유도', '축구' ,'배구', '농구')
result=input('원하는 스포츠 종목을 입력하세요:')
print('종목:' , result)
print('인덱스 번호:' , sports.index(result))
```

```
원하는 스포츠 종목을 입력하세요:배구
종목: 배구
인덱스 번호: 3
```

특정 항목이 몇 개 있는지 확인할 때는 count( ) 함수를 이용한다.

```
>>> fruits=('포도' ,'딸기' ,'복숭아' ,'레몬', '복숭아' ,' 레몬' ,'포도' ,'레몬')
>>> fruits.count('포도')
2
```

위의 예제에서 '포도' 항목은 두 개가 존재하므로 2라고 출력한다. '포도' 와 공백이 있는 '포도'는 다르게 인식됨을 주의하자.

서로 다른 튜플끼리의 결합은 '+'로 결합할 수 있다.

```
names1=('홍길동', '강감찬')
names2=('김유신', '신사임당')
result=names1+names2
print('튜플의 결합 결과: ' , result)
```

튜플의 결합 결과: ('홍길동', '강감찬', '김유신', '신사임당')

5.2.2 튜플 슬라이싱

튜플의 슬라이싱은 필요한 부분만 뽑아내는 것을 말한다. 사용법은 리스트 슬라이싱과
같다. 슬라이싱 표기법 [n : m]은 n 인덱스부터 (m−1) 인덱스까지의 항목을 슬라이
싱 한다는 것이다.

```
>>> fruits=('포도' ,'딸기' ,'복숭아' ,'레몬')
>>> fruits[:2]              #0부터 1까지 항목을 슬라이싱(추출)
('포도', '딸기')
>>> fruits[2:]             #2부터 마지막까지 항목을 슬라이싱(추출)
('복숭아', '레몬')
>>> fruits[1:3]            #1부터 2까지 항목을 슬라이싱(추출)
('딸기', '복숭아')
>>> fruits[len(fruits)-2: ] #뒤에서 두 개의 항목을 슬라이싱(추출)
('복숭아', '레몬')
```

주어진 요구 사항에 맞게 슬라이싱 해보자.

```
travel_dest=('한국','인도', '프랑스','중국', '스위스' ,'스웨덴')
조건:
인덱스 1부터 3까지 슬라이싱
인덱스 0부터 2까지 슬라이싱
인덱스 3부터 마지막까지 슬라이싱
```

```
>>> travel_dest[1:4]
('인도', '프랑스', '중국')
>>> travel_dest[ :3]
('한국', '인도', '프랑스')
>>> travel_dest[3:]
('중국', '스위스', '스웨덴')
```

5.2.3 튜플 정렬

아이템 정렬은 내장함수 sorted( )를 사용하여 정렬을 할수 있다. 하지만 반환되는 데이터는 리스트로 반환된다는 것에 주의하자.

```
>>> num=( 10, 20,30, 40, 50)
>>> sorted(num)
[10, 20, 30, 40, 50]        # 리스트인 대괄호( [ ]  ) 로 출력된다.
```

튜플이 sorted( ) 함수를 사용하여 출력을 하면 결과 값은 리스트 형태인 [10, 20, 30, 40, 50] 로 바뀐 것을 볼 수 있다. 튜플에서는 sort( ) 함수를 사용하면 다음과 같은 오류가 나온다는 것을 명심하자. 즉 sorted( ) 함수와 sort( ) 함수가 다르다. sort( )함수는 반드시 리스트에서 사용하여야 한다.

```
>>> num=( 10, 20,30, 40, 50)
>>> sort(num)
Traceback (most recent call last):
  File "<pyshell#3>", line 1, in <module>
    sort(num)
NameError: name 'sort' is not defined
```

다음은 튜플에서 sorted( ) 함수를 사용한 후 sort( ) 함수를 사용하는 방법을 알아보자.

```
>>> str=( 'd' , 'c' ,'a' ,'b', 'e' )  #튜플 자료형
>>> result=sorted(str)
>>> result
['a', 'b', 'c', 'd', 'e']          #결과 반환은 리스트형
>>> result.sort(reverse=False)     #리스트 오름차순 정렬
>>> print(result)
['a', 'b', 'c', 'd', 'e']
>>> result.sort(reverse=True)      #리스트 내림차순 정렬
>>> print(result)
['e', 'd', 'c', 'b', 'a']
```

5.2.4 튜플 패킹과 언패킹

튜플 패킹은 여러 개의 항목을 가지는 튜플을 생성한다. 패킹(packing)이라는 용어 자체가 여러 개의 데이터가 하나의 변수 안으로 압축되는 느낌을 준다. 튜플 언패킹은 선언했던 튜플을 반대로 선언한다. 즉 fruits=('포도' ,'딸기' , '복숭아')는 튜플 패킹 선언을 (tup1, tup2, tup3)= fruits 선언하여 하나의 튜플 안에 저장된 데이터를 한 항목씩 풀어 개별 변수에 저장하는 것이다. 즉 tup1 에는 '포도' , tup2 에는 '딸기' ,tup3 에는 '복숭아' 가 저장되어 개별적으로 출력할 수 있다.

튜플 패킹	튜플 언패킹
fruits=('포도' ,'딸기' ,'복숭아')	(tup1 , tup2, tup3)= fruits

```
>>> hakjum=('홍길동' , [99, 89,79,100])
>>> name , jumsu=hakjum
>>> name
'홍길동'
>>> jumsu
[99, 89, 79, 100]
```

예를들어 hakjum 튜플에 '홍길동'이라는 이름과, 4과목의 점수 [99, 89, 79, 100]를 선언하자. 그리고 언패킹하기위해 name, jumsu라는 개별 변수를 선언하여 name을 출력하면 '홍길동', jumsu를 출력하면 [99, 89, 79, 100] 데이터가 출력된다. 서로 다른 자료형에도 패킹, 언패킹이 가능하다.

그리고 패킹과 언패킹을 이용하여 데이터의 순서를 바꿀 수 있다.

```
>>> str1=('사과' ,'딸기')
>>> str2=('포도' ,'레몬')
>>> result1, result2= str2 , str1
>>> result1
('포도', '레몬')
>>> result2
('사과', '딸기')
```

str1=('사과' ,'딸기'), str2=('포도' ,'레몬')에 튜플이 선언 되었다. result1에 str2를 result2에 str1을 언패킹 한 후 출력하면 값이 바뀌어 출력한다.

실습예제 5.6

요구조건

학번 : 20221004 , 이름: '홍길동', 점수 : 100 이라는 키를 튜플 요소로 가지는 튜플 객체와 참조 변수 student를 생성하여 print() 함수를 이용하여 출력하는 프로그램을 작성하시오.

```
#ex5-6.py

student =( '홍길동' ,20221004 , 100)
print("학생=" , student )
```

```
학생= ('홍길동', 20221004, 100)
```

 실습예제 5.7

요구조건

student를 리스트로 변환(list() 함수 사용)하여 학번을 20222021 으로 변경한 후 이를 다시 튜플로 변환하여 다음과 같이 출력하시오.

```
#ex5-7.py

student =( '홍길동',20221004 , 100)
student_list = list(student)

print(student_list)

student_list[1]=20222021
student=tuple(student_list)

print(student)
print('학번 변동 후 student는 ', student ,'로 바뀝니다.')
```

```
['홍길동', 20221004, 100]
('홍길동', 20222021, 100)
학번 변동 후 student는  ('홍길동', 20222021, 100) 로 바뀝니다.
```

5.3   set(집합 자료형)

파이썬에서 사용하는 set(집합)은 튜플과 달리 순서가 없는 자료형이다. 또한 동일한 값을 가지는 항목의 중복이 허용되지 않는다는 특징이 있으며 그렇기 때문에 슬라이싱도 불가능하다. 합집합, 교집합, 차집합 등의 다양한 집합 연산을 실행할 수 있다. set(집합)는 기본 선언 할 때 중괄호({})를 사용하여 항목 나열을 해준다. 집합을 선언하는 방법은 [표 5-2]와 같다.

표 5-2 set(집합)을 선언하는 방법

set 선언방법	사용 예	

빈 집합 선언	>>> basic_set=set()
	>>> basic_set
	set()
		>>> basic_set=set{ }
		SyntaxError: invalid syntax

기본적인
집합 선언
	>>> basic_set={ 1,2,3,4 }
	>>> basic_set
	{1, 2, 3, 4}	

튜플로부터
집합 선언
	>>> num_tuple=(1,2,3,4) #튜플 선언
	>>> num_tuple
	(1, 2, 3, 4)
	>>> basic_set1=set(num_tuple) #튜플을 set로 만든다.
	>>> basic_set1
	{1, 2, 3, 4}	

리스트로부터
집합 선언
	>>> num_list=[1,2,3,4] #리스트 선언
	>>> num_list
	[1, 2, 3, 4]
	>>> basic_set2=set(num_list) #리스트를 set로 만든다.
	>>> basic_set2
	{1, 2, 3, 4}	

이번에는 문자열을 이용하여 리스트, 튜플로부터 set(집합)을 만들어보자.

set 선언 방법	문자열 사용 예

기본적인
set 선언
	>>> fruits={'바나나' ,'딸기' ,'포도', '레몬'}
	>>> fruits
	{'딸기', '레몬', '바나나', '포도'}

튜플로부터
set 선언
	>>> fruits_tuple=('바나나' ,'딸기' ,'포도', '레몬')
	>>> fruits_set=set(fruits_tuple)
	>>> fruits_set
	{'딸기', '레몬', '바나나', '포도'}

리스트로부터
set 선언
	>>> fruits_list=['바나나' ,'딸기' ,'포도', '레몬']
	>>> list_set=set(fruits_list)
	>>> list_set
	{'딸기', '레몬', '바나나', '포도'}

set(집합)을 선언 시 한 개의 문자열을 선언할 때 주의 사항은 다음과 같다.

```
>>> fruits_str='바나나'
>>> fruits_set=set(fruits_str)
>>> fruits_set
{'바', '나'}                  #문자 중복 출력 안됨
```

한 개의 문자열 '바나나'로부터 set( ) 함수를 이용하여 집합을 만들 수는 있으나 set에서는 문자 중복을 허용하지 않기 때문에 최종 출력은 {'바', '나'}로 출력이 됨을 주의하자.

실습예제 5.8

요구조건

다음 문자열 변수 hello 로부터 set() 함수를 사용하여 집합 hello_set를 생성하여 출력하는 프로그램을 작성하시오.

```
#ex5-8.py

hello = 'I Love You'        # 문자열 hello

hello_set = set(hello)
print('hello_set 결과 출력은 ', hello_set , '입니다.')
print('집합은 중복 출력이 안됩니다.')
```

```
hello_set 결과 출력은  {'L', 'e', 'o', 'u', 'v', 'l', ' ', 'Y'}입니다.
집합은 중복 출력이 안됩니다.
```

5.3.1 set(집합) 메소드와 연산 정리

set(집합)은 all( ), add( ), max( ), min( ) 등의 메소드가 있으며 주요 메소드들은 표
[5-3]과 같다.

표 5-3 set(집합) 메소드와 연산 정리

메소드	의미
add(x)	x 원소를 추가
discard(x) remove(x)	x 원소를 삭제
clear()	모든 요소를 삭제
set()	공백 집합 생성
x1={ e1, e2, e3 }	초기 값 항목이 있는 집합을 중괄호로 생성
len(e1)	set에 있는 요소의 수
x1.issubset(x2)	부분 집합인지 검사. True/False 반환
x1==x2 x1!=x2	동일한 집합인지 아닌지 검사
x1.union(x2)	합집합 x1	x2
x1.intersection(x2)	교집합 x1 & x2
x1.difference(x2)	차집합 x1 − x2
symmetric_difference(x1)	x1 집합과의 대칭 차집합을 구하기. ^ 연산

기본 set(집합) 메소드 사용은 다음 예제와 같다.

```
>>> num={ 1,1,2,2,2,3,3,4 }
>>> num
{1, 2, 3, 4}
>>> num.add(5)          # 원소 5추가
>>> num
{1, 2, 3, 4, 5}
```

```
>>> num.remove(2)        #원소 2 삭제
>>> num
{1, 3, 4, 5}
>>> fruits={'바나나','포도','딸기','레몬','복숭아'}
>>> fruits.add('사과')     #사과 추가
>>> fruits
{'사과', '딸기', '포도', '복숭아', '바나나', '레몬'}
>>> fruits.discard('포도')#포도 삭제
>>> fruits
{'사과', '딸기', '복숭아', '바나나', '레몬'}
```

set(집합) 연산을 실습해보자.

```
>>> num1={1,2,3,4,5}
>>> num2={3,4,5,6,7}
>>> num1 | num2          #num1.union(num2) 와 동일
{1, 2, 3, 4, 5, 6, 7}
>>> num1 & num2          #num1.intersection(num2) 와 동일
{3, 4, 5}
>>> num1 - num2          #num1.difference(num2) 와 동일
{1, 2}
>>> num1 ^ num2          #num1.symmetric_difference(num2) 와 동일
{1, 2, 6, 7}
```

```
>>> man1={'홍길동','신사임당','이순신'}
>>> man2={'신사임당','이순신','강감찬'}
>>> man1.add('이황')
>>> man1
{'홍길동', '이황', '신사임당', '이순신'}
>>> man1.union(man2)
{'신사임당', '이순신', '홍길동', '강감찬', '이황'}
>>> man1.intersection(man2)
{'신사임당', '이순신'}
>>> man1.difference(man2)
{'홍길동', '이황'}
```

실습예제 5.9

(요구조건)

두 개의 set(집합)의 결과가 같으면 True를, 다르면 False를 출력하는 프로그램을 작성하시오.

```
#ex5-9.py

day={'월','화','수','목'}
day_1={'화','수','목','금','토'}

result= day == day_1

print('두 집합의 결과는', result ,'이다.')
```

두 집합의 결과는 False 이다.

 실습예제 5.10

(요구조건)

사용자로부터 문자를 입력받아 두 문자열의 공통문자를 리스트로 출력하는 프로그램을 작성하시오.

```
#ex5-10.py

str1=input('첫 번째 문자열 입력:')
str2=input('두 번째 문자열 입력:')

result=list(set(str1) & set(str2))

print('공통 문자: ', result)
```

첫 번째 문자열 입력:chosun
두 번째 문자열 입력:hello
공통 문자: ['o', 'h']

5.4   딕셔너리

딕셔너리(dictionary)는 키(key)와 값(value)을 쌍으로 항목이 나열된 자료형으로 키를 이용하여 값을 조회하기 때문에 키가 중복이 되면 안된다. 딕셔너리를 선언할때는 반드시 중괄호({})를 사용하며 각 항목은 '키(key) : 값(value)'형태로 작성하며 콜론 앞에 오는 값이 키, 뒤에 오는 것이 값이다. 그리고 항목과 항목은 쉼표(,)로 구분한다.

5.4.1 딕셔너리 선언

```
>>> Hakjum={ '홍길동' : 'A' , '강감찬' : 'B' , '이순신' : 'A+' }
```

위 예제를 살펴보면 딕셔너리는 중괄호 ({ })를 사용하며 , 왼쪽에 있는 '홍길동', '강감찬' , '이순신' 은 키에 해당하며 오른쪽 학점을 나타내는 'A' , 'B', 'A+'는 값에 해당한다. 그리고 이 딕셔너리 항목들은 Hakjum라는 변수에 할당된다.

[그림 5-1]은 딕셔너리 구조이다.

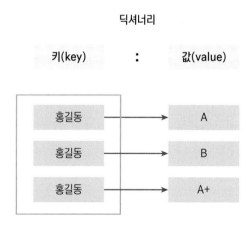

그림 5-1   딕셔너리 구조

```
>>> Hakjum={ '홍길동' : 'A' , '강감찬' : 'B' , '이순신' : 'A+' }
>>> Hakjum
{ '홍길동' : 'A' , '강감찬' : 'B' , '이순신' : 'A+' }
>>> type(Hakjum)
<class 'dict'>
```

딕셔너리를 출력하면 자료형은 딕셔너리로 출력이 되는 것을 알 수 있다.

딕셔너리에서는 키는 중복이 되어서는 안되지만 값은 중복이 가능하다. 예를 들어 학번과 이름이 있다고 한다면 학번은 절대 중복이 있어서는 안되기 때문에 키(key)로 학번을 값(value)로 이름을 설정한다는 것이다.

표 5-4 키 중복일 경우

키(key)	:	값(value)
'20231001'	:	'홍길동'
'20230001'	:	'강감찬'
'20231004'	:	'이순신'

위의 [표 5-4]에서 이름이 '홍길동'과 '강감찬' 인데 학번이 '20231001'로 중복이 되어있다면 오류가 일어날 것이다. 그렇기 때문에 딕셔너리 키에서는 절대 중복이 되어서는 안된다.

또한 딕셔너리 키와 값에 사용되는 데이터 자료형은 어떠한 자료형이든지 사용할 수 있다.

```
>>> student={'이름':'홍길동', '학번':20231004, '수강과목':['프로그래밍언어 및 실습', '인공지능','빅데이터'],'주소':'우주시 지구동','평점':4.5}
>>> student
{'이름': '홍길동', '학번': 20231004, '수강과목': ['프로그래밍언어 및 실습', '인공지능', '빅데이터'], '주소': '우주시 지구동', '평점': 4.5}
>>> type(student)
<class 'dict'>
```

student 딕셔너리를 입력하여 type( )을 확인하면 딕셔너리로 출력되는 것을 볼 수 있다.

딕셔너리에서 자주 사용하는 메소드는 [표 5-5]와 같다.

표 5-5 딕셔너리 메소드

메소드	의미
len(d_variable)	딕셔너리에 저장된 항목의 개수
d_variable.pop(key) del d_variable	항목 삭제
d_variable.popitem(key)	맨 마지막에 있는 항목 삭제
d_variable.values()	딕셔너리 안에있는 values 반환
d_variable.keys()	딕셔너리 안에있는 key 반환
d_variable.items()	딕셔너리 안에있는 항목(키, 값) 반환
d_variable.clear()	딕셔너리 안에있는 항목(키, 값) 전부 삭제
d_variable.get(key, default)	키에 대한 값을 반환하고 키가 없으면 default를 반환
key in d_variable	key 가 딕셔너리 안에 있는지 여부 True/False
key not in d_variable	key 가 딕셔너리 안에 없으면 True 반환

5.4.2 딕셔너리 조회와 삽입

student 딕셔너리를 다음과 같이 선언하고 '학번'과 '주소' 조회를 확인해 본다.

```
>>> student={'이름':'홍길동', '학번':20231004, '수강과목':['프로그래밍언어 및 실습','인공지
능','빅데이터'],'주소':'우주시 지구동','평점':4.5}
>>> student['학번']
20231004
>>> student['주소']
'우주시 지구동'
```

딕셔너리에 항목을 추가하고 싶으면 키를 입력하면 되는데 딕셔너리는 키 중복을 하면 값이 바뀐다. 예를 들어 학과를 추가하기 위해 student['학과']='컴퓨터공학과', student['학과']='국어교육학과'라고 실행하면 '컴퓨터공학과'에서 '국어교육과'로 바뀌어버린다는 점에 유의하자.

```
>>> student={'이름':'홍길동', '학번':20231004, '수강과목':['프로그래밍언어 및 실습','인공지능','빅데이터'],'주소':'우주시 지구동','평점':4.5}
>>> student['학과']='컴퓨터공학과'
>>> student
{'이름': '홍길동', '학번': 20231004, '수강과목': ['프로그래밍언어 및 실습', '인공지능', '빅데이터'], '주소': '우주시 지구동', '평점': 4.5, '학과': '컴퓨터공학과'}
>>> student['학과']='국어교육학과'
>>> student
{'이름': '홍길동', '학번': 20231004, '수강과목': ['프로그래밍언어 및 실습', '인공지능', '빅데이터'], '주소': '우주시 지구동', '평점': 4.5, '학과': '국어교육학과'}
```

5.4.3 항목 삭제

del를 사용하면 특정 항목을 삭제할 수 있다. '수강과목' 항목을 삭제하고자 하면 del student['수강과목']이라고 실행한다. 수강과목과 학번을 삭제한 예제이다.

```
>>> student={'이름':'홍길동', '학번':20231004, '수강과목':['프로그래밍언어 및 실습','인공지능','빅데이터'],'주소':'우주시 지구동','평점':4.5}
>>> del student['수강과목']
>>> del student['학번']
>>> student
{'이름': '홍길동', '주소': '우주시 지구동', '평점': 4.5}
>>> student.clear()
>>> student
{ }
```

pop메소드를 사용하여 삭제하는 방법도 있다. student.pop('이름')이라고 하면 '이름'에 해당하는 '홍길동' 값도 함께 삭제가 된다. student.popitem( ) 메소드는 맨 마지막 항목이 삭제되고 student.clear( )는 모든 항목이 전체 삭제된다.

```
>>> student={'이름':'홍길동', '학번':20231004, '수강과목':['프로그래밍언어 및 실습','인공지능','빅데이터'],'주소':'우주시 지구동','평점':4.5}
>>> student.pop('이름')
'홍길동'
>>> student
{'학번': 20231004, '수강과목': ['프로그래밍언어 및 실습', '인공지능', '빅데이터'], '주소': '우주시 지구동', '평점': 4.5}
>>> student.popitem()
('평점', 4.5)
>>> student
{'학번': 20231004, '수강과목': ['프로그래밍언어 및 실습', '인공지능', '빅데이터'], '주소': '우주시 지구동'}
```

5.4.4 키, 값, items()

딕셔너리에서 키(key)와 값(value)을 조회하려면 keys( )와 values( ) 메소드를 사용한다. student.keys( )는 키에 대한 항목이 리스트 형식으로 반환이되고 student.values( )는 값만 리스트 형식으로 반환 된다. 또한 student.items( )은 [키]:[값]의 쌍으로 이루어진 항목들이 리스트 형식으로 반환된다.

```
>>> student={'이름':'홍길동', '학번':20231004, '수강과목':['프로그래밍언어 및 실습','인공지능','빅데이터'],'주소':'우주시 지구동','평점':4.5}
>>> student.keys()
dict_keys(['이름', '학번', '수강과목', '주소', '평점'])
>>> student.values()
dict_values(['홍길동', 20231004, ['프로그래밍언어 및 실습', '인공지능', '빅데이터'], '우주시 지구동', 4.5])
>>> student.items()
dict_items([('이름', '홍길동'), ('학번', 20231004), ('수강과목', ['프로그래밍언어 및 실습', '인공지능', '빅데이터']), ('주소', '우주시 지구동'), ('평점', 4.5)])
```

파이썬 딕셔너리에서 항목을 하나씩 열거하기 위해서 for – in 문을 사용하는데 이 때는 다음 예제문과 같이 in 뒤에 딕셔너리의 이름을 넣어줘야 한다. 7장 반복문에서 자세한 설명을 추후 한다.

```
>>>jumsu={'홍길동':'90점', '강감찬':'80점','이순신':'95점'}
>>>for grade in jumsu.keys():
        print(grade)


홍길동
강감찬
이순신

>>>for grade in jumsu.values():
        print(grade)


90점
80점
95점

>>>for grade in jumsu.items():
        print(grade)


('홍길동', '90점')
('강감찬', '80점')
('이순신', '95점')

>>>for grade in jumsu.keys():
        print(grade,' - ', jumsu[grade])


홍길동 - 90점
강감찬 - 80점
이순신 - 95점
```

실습예제 5.11

요구조건

과일과 가격을 딕셔너리로 선언 후 각각의 과일과 가격을 출력하는 프로그램을 작성하여 보시오.

```
#ex5-11.py

fruits={'apple':1000,'grape':4000,'orange':1000}
for key in fruits:
        print('{}:{}원'.format(key,fruits[key]))
```

```
apple : 1000원
grape : 4000원
orange : 1000원
```

5.4.5 get() 메소드를 이용하여 key 로 value 얻기

student['성별']을 실행하면 키가 없기 때문에 오류가 난다. 주어진 키를 반환 확인하기 위해 get( )메소드를 사용하여 확인한다. 여기에 student.get('성별')을 실행하면 default 값으로 출력이 되지만 눈으로는 보이지 않기 때문에 올바로 출력해보는 확인 작업이 필요하다. 방법은 다음과 같이 실행하면 NONE값이 출력되는 것을 확인할 수 있다.

```
>>> student={'이름':'홍길동', '학번':20231004, '수강과목':['프로그래밍언어 및 실습','인공지
능','빅데이터'],'주소':'우주시 지구동','평점':4.5}
>>> student['성별']        #'성별' 키가 없으므로 오류
Traceback (most recent call last):
   File "<pyshell#25>", line 1, in <module>
     student['성별']
KeyError: '성별'
>>> x=student.get('성별')
>>> print(x)
None
>>> student.get('수강과목')
['프로그래밍언어 및 실습', '인공지능', '빅데이터']
```

실습예제 5.12

요구조건

student 딕셔너리를 활용하여 출력하는 프로그램을 작성하시오.

```
#ex5-12.py

student={'이름':'홍길동', '학번':20231004, '수강과목':['프로그래밍언어 및 실습',
'인공지능','빅데이터'],'주소':'우주시 지구동','평점':4.5}

list_name=list(student.keys())

print(list_name)

name=student.get('이름')
print('이름:' ,name)

hakbun=student.get('학번')
print('학번:' ,hakbun)

course=student.get('수강과목')
print('수강과목:' ,course)

add=student.get('주소')
print('주소:' ,add)

gpa=student.get('평점')
print('평점:' ,gpa)
```

```
항목: ['이름', '학번', '수강과목', '주소', '평점']
이름: 홍길동
학번: 20231004
수강과목: ['프로그래밍언어 및 실습', '인공지능', '빅데이터']
주소: 우주시 지구동
평점: 4.5
```

실습예제 5.13

(요구조건)

반복문을 사용하여 keys() 로 조회한 각 키에 대한 부분을 출력하는 프로그램을 작성하여 보시오.

```
#ex5-13.py

student={'이름':'홍길동', '학번':20231004, '수강과목':['프로그래밍언어 및 실습', '인공지능'
,'빅데이터'],'주소':'우주시 지구동','평점':4.5}
for item in student.keys():
    print(item,':', student[item])
```

이름 :	홍길동
학번 :	20231004
수강과목 :	['프로그래밍언어 및 실습', '인공지능', '빅데이터']
주소 :	우주시 지구동
평점 :	4.5

 실습예제 5.14

(요구조건)

키:값 의 항목을 가지는 딕셔너리를 생성하세요. 그리고 이 딕셔너리를 이용하여 영어단어를 찾아보
는 프로그램을 작성하시오.
딕셔너리 : koreng_dic
format() 메소드 이용하여 출력하기

키	값
사과	apple
포도	grape
자두	plum

```
#ex5-14.py
koreng_dic={'사과':'apple' ,'포도':'grape','자두':'plum' ,'오렌지':'orange'}
print('{}의 단어는 {}입니다.'.format('사과',koreng_dic['사과']))
print('{}의 단어는 {}입니다.'.format('포도',koreng_dic['포도']))
print('{}의 단어는 {}입니다.'.format('자두', koreng_dic['자두']))
```

사과의 단어는 apple입니다.
포도의 단어는 grape입니다.
자두의 단어는 plum입니다.

 실습예제 5.15

(요구조건)

키:값 의 항목을 가지는 딕셔너리를 생성하세요. 그리고 이 딕셔너리를 이용하여 영어단어를 입력받아 한국어를 찾아보는 프로그램을 작성하시오.

딕셔너리 : engkor_dic

키	값
basketball	농구
volleyball	배구
soccer	축구
swimming	수영

```
#ex5-15.py

engkor_dic={ }
engkor_dic['basketball']='농구'
engkor_dic['volleyball']='배구'
engkor_dic['soccer']='축구'
engkor_dic['swimming']='수영'

eng=input('스포츠 영어 단어를 입력하세요: ')
print('한국어는', engkor_dic[eng] ,'입니다.')
```

스포츠 영어 단어를 입력하세요:volleyball
한국어는 배구입니다.

스포츠 영어 단어를 입력하세요:soccer
한국어는 축구 입니다.

실습예제 5.16

(요구조건)

다음은 화학과 학생들의 실험 실습비 정보를 나타내는 표이다. 표를 보고 알맞은 컬렉션 자료형으로 만들어서 출력하는 프로그램을 작성하시오.

[입력사항] 화학 실습비를 알고자하는 이름을 입력:

이름	실험실습비
홍길동	50만원
강감찬	30만원
이순신	80만원

```python
#ex5-16.py

name={}

name['홍길동']={'이름':'홍길동' ,'실습비':'50만원'}
name['강감찬']={'이름':'강감찬' ,'실습비':'30만원'}
name['이순신']={'이름':'이순신' ,'실습비':'80만원'}

name_no=input('화학 실습비를 알고자하는 이름을 입력:')

print('이름' , name[name_no]['이름'])
print('실습비' , name[name_no]['실습비'])
```

화학 실습비를 알고자하는 이름을 입력: 이순신

이름   - 이순신
실습비 - 80만원

 실습예제 5.17

(요구조건)

과학 실험을 하기 위해 실험기기 도구들을 주문하고자한다. 남아있는 실험기기 도구들을 파악하는
프로그램을 작성하시오.

---

① 비이커 15개 주문
② 유리비이커 10개 주문
③ 스포이트 15개 주문
④ 삼각플라스크 10개주문
⑤ 비이커 2개 깨짐
⑥ 유리비이커 3개 깨짐
⑦ 스포이트 3개 깨짐
⑧ 삼각플라스크 2개 깨짐
⑨ 비이커 3개 추가 주문
⑩ 스포이트 2개 추가 주문

[현재 남아있는 재고 사항]
비이커 :5 , 유리비이커: 10 , 스포이트:5 , 시험관: 10, 삼각플라스크:10


```python
#ex5-17.py

equip = {'비이커':5, '유리비이커':10, '스포이트':5 ,'시험관':10 ,'삼각플라스크':10}
print('★현재 재고  기기 수량:' ,equip)
print('='*100)

print('비이커 15 , 유리비이커, 10, 스포이트 15 , 삼각 플라스크 10개 주문합니다.')
equip['비이커'] = equip['비이커'] + 15
equip['유리비이커'] = equip['유리비이커'] + 10
```

```
equip['스포이트'] = equip['스포이트'] + 15
equip['삼각플라스크'] = equip['삼각플라스크'] + 10
print('★주문 후 재고 기기 수량:' ,equip)
print('='*100)


print('비이커 2 , 유리비이커 3, 스포이트 3개 , 삼각플라스크 2개  깨짐')

equip['비이커'] = equip['비이커'] - 2
equip['유리비이커'] = equip['유리비이커'] - 3
equip['스포이트'] = equip['스포이트'] - 3
equip['삼각플라스크'] = equip['삼각플라스크'] - 2
print('★깨진 수량 파악 후 재고 기기 수량:' ,equip)
print('='*100)


print('기기가 부족하여 비이커 3, 스포이트 2개 추가 주문합니다.')
equip['비이커'] = equip['비이커'] + 3
equip['스포이트'] = equip['스포이트'] + 2
print('='*100)


print('★최종 주문 후 재고 기기 수량:' ,equip)
```

```
★현재 재고  기기 수량: {'비이커': 5, '유리비이커': 10, '스포이트': 5, '시험관': 10, '삼각플라스크'
: 10}
===================================================================
======
비이커 15 , 유리비이커, 10, 스포이트 15 , 삼각 플라스크 10개 주문합니다.
★주문 후 재고 기기 수량: {'비이커': 20, '유리비이커': 20, '스포이트': 20, '시험관': 10, '삼각플라
스크': 20}
===================================================================
======
비이커 2 , 유리비이커 3, 스포이트 3개 , 삼각플라스크 2개  깨짐
★깨진 수량 파악 후 재고 기기 수량: {'비이커': 18, '유리비이커': 17, '스포이트': 17, '시험관': 10,
'삼각플라스크': 18}
===================================================================
======
기기가 부족하여 비이커 3, 스포이트 2개 추가 주문합니다.
===================================================================
======
★최종 주문 후 재고 기기 수량: {'비이커': 21, '유리비이커': 17, '스포이트': 19, '시험관': 10, '삼각
플라스크': 18}
```

1. **리스트 목록이 다음과 같다. 알맞은 프로그램을 작성하여 보시오.**

   [요구사항] hangul=['소','중','한','당','신']

   1) hangul 리스트를 역순으로 출력하시오.

   2) 다음 요구 사항에 맞게 hangul 리스트를 슬라이싱하시오.

   > ① 인덱스 1부터 4까지의 아이템을 출력하시오.
   > ② 인덱스 0부터 2까지의 아이템을 출력하시오.
   > ③ 인덱스 2부터 마지막까지의 아이템을 출력하시오.

2. **정보처리기사 필기 시험 자격증 5과목 점수 입력 받은 후 입력된 값들의 합, 평균, 최솟값, 최댓값을 출력하는 프로그램을 작성하시오.**

   [요구조건1] 리스트로 작성

   [요구조건2] 소프트웨어 설계, 소프트웨어 개발, 데이터베이스 구축, 프로그래밍 언어 활용, 정보시스템 구축관리

   [요구조건3] sum() , min() , max()함수 사용할 것

   > 소프트웨어 개발 과목 점수 입력:89
   > 데이터베이스 구축 과목 점수 입력:90
   > 프로그래밍 언어 활용 과목 점수 입력:88
   > 정보시스템 구축관리 과목 점수 입력:99
   > 소프트웨어 설계 과목 점수 입력:90
   >
   > 입력된 5과목의 점수 : [89, 90, 88, 99, 90]
   >
   > 합: 456
   > 평균: 91.2
   > 최댓값: 99
   > 최솟값: 88

3. 헌혈 보관 프로그램을 작성하는 예제이다. 하루에 10명씩만 헌혈을 받아 리스트에 보관하고, 하루에 혈액형별 몇 팩씩 보관하고 있는지 출력하는 프로그램을 작성하여 보시오.

[요구사항] 리스트로 작성

[입력사항] 당신의 혈액형을 정확하게 입력(A ,B, O, AB):

```
========================================
당신의 혈액형을 입력하여 주세요.
당신에게 행운이 올거예요!
========================================
1. 당신의 혈액형을 정확하게 입력( A ,B, O, AB ):A
2. 당신의 혈액형을 정확하게 입력( A ,B, O, AB ):B
3. 당신의 혈액형을 정확하게 입력( A ,B, O, AB ):A
4. 당신의 혈액형을 정확하게 입력( A ,B, O, AB ):B
5. 당신의 혈액형을 정확하게 입력( A ,B, O, AB ):B
6. 당신의 혈액형을 정확하게 입력( A ,B, O, AB ):O
7. 당신의 혈액형을 정확하게 입력( A ,B, O, AB ):O
8. 당신의 혈액형을 정확하게 입력( A ,B, O, AB ):O
9. 당신의 혈액형을 정확하게 입력( A ,B, O, AB ):AB
10.당신의 혈액형을 정확하게 입력( A ,B, O, AB ):A
========================================
오늘 헌혈 받은 혈액형의 갯수
========================================
A형 : 3
B형 : 3
O형 : 3
AB형 : 1
========================================
```

4. 프로그램 경진대회에 출전 할 자연계열 학과를 관리하는 예제이다. 다음의 순서대로 출력하는 프로그램을 작성하시오.

[요구사항] 리스트로 작성

> ※ 순서1 :
> 물리학과, 생명과학과, 수학과, 수학교육과, 화학과인 리스트를 만든다.
> ※ 순서2 :
> 각 학과를 역순으로 정렬한다.
> ※ 순서3 :
> 수학교육과는 자연계열이 아니기 때문에 삭제한다.
> ※ 순서4 :
> 프로그램 경진대회에 나갈 두 개과를 앞에서부터 순서적으로 뽑는다.
> ※ 순서5 :
> 자연계열 학과인 '컴퓨터통계학과'를 추가한다.
> ※ 순서6 :
> 각 학과를 순서대로 정렬하기위해 오름차순 정렬한다.

※ 순서1 :
['물리학과', '생명과학과', '수학과', '수학교육과', '화학과']
※ 순서2 :
['화학과', '수학교육과', '수학과', '생명과학과', '물리학과']
※ 순서3 :
['화학과', '수학과', '생명과학과', '물리학과']
※ 순서4 :
['화학과', '수학과']
※ 순서5 :
['화학과', '수학과', '생명과학과', '물리학과', '컴퓨터통계학과']
※ 순서6 :
['물리학과', '생명과학과', '수학과', '컴퓨터통계학과', '화학과']

5. 어느 회사의 급여관리 프로그램을 작성할 예제이다. 다음의 순서대로 출력하는 급여관리 프로그램
    을 작성하시오.

[요구사항] 딕셔너리

※순서 1 :
 '홍길동' :500만원 ,'강감찬':300만원, '신사임당':450만원
※순서 2 :
 '홍길동'의 급여를 조회한다.
※순서 3 :
신입직원인 '이순신' : 350만원 ,'이황' : 600만원을 추가한다.
※순서 4 :
'강감찬'의 급여를 550만원으로 수정한다.
※순서 5 :
최종적으로 전체 직원의 이름과 급여를 출력하여 본다.

 ※순서 1
{'홍길동' : '500만원', '강감찬' : '300만원', '신사임당' : '450만원'}

※순서 2
홍길동 : 500만원

※순서 3
{'홍길동' : '500만원', '강감찬' : '300만원', '신사임당' : '450만원', '이순신' : '350만원',
'이황' : '600만원'

※순서 4
{'홍길동' : '500만원', '강감찬' : '550만원', '신사임당' : '450만원', '이순신' : '350만원',
'이황' : '600만원'}

※순서 5
#########################
수정된 최종 출력 결과
* 홍길동 :   500만원
* 강감찬 :   550만원
* 신사임당 :   450만원
* 이순신 :   350만원
* 이황 :   600만원
#########################

연습문제

6. 책 제목을 입력하여 교육학 전공에 관련된 도서를 검색하는 프로그램예제이다. 올바른 컬렉션 자료형으로 프로그램을 작성하시오.

[입력사항] 검색을 원하는 책 제목을 입력하세요:

도서번호	책제목	출판사	가격	우수고객 할인율(%)
22-01	수학교육학신론	가나 출판사	15000원	5%
22-02	교육과학사	다라 출판사	20000원	7%
22-03	중등교육학	마바 출판사	30000원	5%

```
검색을 원하는 책 제목을 입력하세요:중등교육학
======================================
항목        :          내용
======================================
도서번호 :          22-03
책제목    :          중등교육학
출판사    :          마바 출판사
가격      :          30000원
우수고객할인율(%) :  5%
======================================
```

7. 습도를 구하는 예제이다. 습도는 공기 가운데 포함된 수증기의 양 또는 비율을 나타낸다. 현재 온도와 이슬점 온도를 입력하면 몇 번째 인덱스에 출력되는지 프로그램을 작성하시오.

[요구사항] 리스트 작성

[입력사항] 현재 온도입력:

이슬점 온도입력:

온도(℃)	10	15	20	25	30
포화수증기량(g/kg)	7.6	10.6	14.7	20.0	27.1

```
현재 온도를 입력하세요:15
이슬점 온도를 입력하세요:25
현재온도는 15 도이며 1 번째 입니다.
이슬점온도는 25 도이며 3 번째 입니다.
```

8. 습도를 구하는 예제이다. 습도는 공기 가운데 포함된 수증기의 양 또는 비율을 나타낸다. 습도를 구하는 공식을 이용하여 프로그램을 작성하시오.

[요구사항] 리스트 작성

[입력사항] 현재 온도입력:

　　　　　　이슬점 온도입력:

　　　　　　현재기온의 포화수증기량:

　　　　　　이슬점의 포화수증기량:

[공식] $\dfrac{\text{공기이슬점의 포화수증기량}}{\text{현재 기온의 포화수증기량}} \times 100(\%)$

온도(℃)	10	15	20	25	30
포화수증기량(g/kg)	7.6	10.6	14.7	20.0	27.1

```
현재 온도를 입력하세요:15
이슬점 온도를 입력하세요:25

현재 기온의 포화수증기량을 입력하세요:10.6
이슬점의 포화수증기량을 입력하세요:20.0

현재온도는 15 도이며 1 번째 입니다.
이슬점온도는 25 도이며 3 번째입니다.

현재 습도는 53.0 %입니다.
```

조건문

C O N T E N T S

6.1 if 조건문

조건문은 특정 상황이 조건으로 주어졌을 때, 주어진 조건을 판단한 후 해당 조건에 맞는 상황을 실행해야 하는데, 이러한 경우에 if문을 사용한다.

간단한 if 조건문은 다음과 같이 표현 할 수 있다.

```
if 조건:
    실행할 문장 1
    실행할 문장 2
    …
```

if 조건문 뒤에 콜론(:)을 사용해야 하며, 조건이 참인 경우 실행되어야 할 if에 속하는 문장1, 문장2 등은 들여쓰기가 되어 있어야 한다.

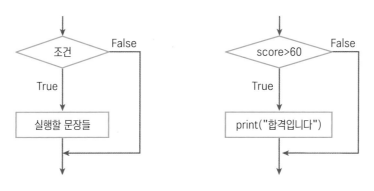

그림 6-1   if문의 순서도와 예시

위의 그림은 if문의 순서도와 if문 예제 순서도를 보여준다. 순서도는 문제를 해결하는 데 필요한 논리적인 흐름을 그림으로 표현한 것으로 처리하는 과정을 미리 정의된 기호와 서로 연결하는 화살표로 도식화하여 나타낸다.

기호	기호 설명	사용 예
☐	수식이나 값을 대입	c=a+b
◇	조건이 참인지 거짓인지 판단 기호	◇ c>m
↓	도형 간의 처리 흐름을 나타내는 선	tot=0 ↓ 정수입력

도형 ◇은 조건에 따른 흐름의 분기로 조건이 True면 if 코드블록 안의 실행할 문장들이 실행되고, 조건이 False이면 문장들을 실행하지 않고 건너뛰게 된다.

[그림 6-1]의 순서도의 실제 코드를 작성해 보자. if문으로 만약에 변수 score에 저장된 값이 60보다 큰 경우라면, '합격입니다'라는 문자열을 출력하고 그렇지 않으면 문장이 실행되지 않는다.

```
>>> if score > 60:
        print("합격입니다")
```

위의 코드가 실행되면 if문의 구조에서 조건에 대한 연산(boolean)으로 True, False 인지를 먼저 판별하게 된다. 그리고 score의 값이 60보다 크면 True가 되어 print문을 실행하고, False가 되면 print문을 실행하지 않는다. 점수를 입력받아 합격 여부를 판정하는 프로그램을 완성해 보면 다음과 같다.

```
>>> score = int(input("점수 입력 : "))
점수 입력 : 80
>>> if score > 60:
        print("합격입니다")
↵
합격입니다
```

if 조건이 참(True)일 때 실행할 문장은 '합격입니다'를 출력하는 코딩을 IDLE shell에서 실행할 때 위와 같이 엔터키를 누른 다음 백스페이스(backspace) 키를 눌러 커서를 맨 앞으로 이동한 후 엔터키(↵)를 눌러 실행한다.

if 조건이 참일 때 실행할 문장이 여러 개일 경우 들여쓰기를 주의해야 한다. 동일한 들여쓰기가 된 문장들을 블록(block)이라고 한다. 블록은 프로그래밍 구문들의 집합으로 모두 같이 실행된다. 들여쓰기 간격을 바꾸면 새로운 블록을 생성한다는 의미이다. 다음의 예제를 살펴보자.

```
>>> if age> 19:
□□□□print("You are old!")
□□□□□print("you have the right to vote.")
```

파이썬은 한 블록에 있는 모든 코드 줄은 동일한 공백(whitespace)을 가질 것이라고 예상하기 때문에 실행시키면 들여쓰기 에러(indentation error)가 난다. 코드를 실행해 보면 IDLE는 문제가 있는 곳을 빨간 색 블록으로 강조하면서 SyntaxError 메시지를 보여준다.

```
>>> age = 21
>>> if age> 19:
        print("You are old enough!")
    █ print("you have the right to vote.")
SyntaxError: Unexpected indent
```

NOTE 공백을 일관되게 유지하면 코드를 훨씬 더 읽기 쉽게 해준다. 만일 프로그램을 만들면서 블록의 시작을 탭(Tap) 키 또는 네 칸의 공백으로 했다면 프로그램 내의 다른 블록들도 처음 시작할 때 탭(Tap) 키 또는 네 칸의 공백을 두도록 한다. 그리고 블록에 있는 각각의 문장들도 동일한 공백의 개수를 갖도록 한다.

실습예제 6.1   if문 활용

(요구조건)

15세이상 관람가 영화를 볼 수 있는지 알려주는 예제이다. 사용자의 나이를 입력받아 15이상이면 관람할 수 있다는 메시지를 출력하는 프로그램을 작성하시오.

```python
# ex6-1.py
age = int(input("나이 입력: "))

if age >= 15:
    print("영화를 관람할 수 있습니다.")
```

```
나이 입력: 20
영화를 관람할 수 있습니다.
```

ex6-1.py와 같이 에디터로 프로그램을 작성할 때는 반드시 저장(file-save)하고 실행 (run)해야 하므로 단축키 Ctrl+S → F5 를 사용하면 편리하다.

6.2   if else 조건문

if else문은 조건에 따라 True일 때 실행하는 문장과 False일 때 실행할 문장을 구분하여 프로그래밍을 작성할 때 사용한다.

```
if 조건:
    실행할 문장들
else:
    실행할 문장들
```

if else문의 순서도와 그 예시는 다음과 같다.

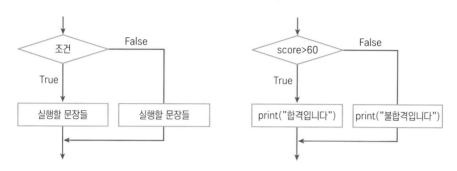

그림 6-2   if else문의 순서도와 예시

위의 예시 프로그램을 작성하면 다음과 같다.

```
>>> score = int(input("점수 입력 : "))
점수 입력 : 75
>>> if score >= 60:
        print("합격입니다")
else:
        print("불합격입니다")
↵
합격입니다
```

키보드로부터 점수를 정수로 입력받아 변수 score에 저장하고, 만약 점수가 60점 이상
이면 "합격입니다"를 출력하고, 60점 미만이면 "불합격입니다"를 출력하게 된다.

⚙ **실습예제 6.2**   if else문 활용

[요구조건]

짝수, 홀수를 판별해주는 예제이다. 양의 정수를 입력받아 짝수인지 홀수인지를 출력해주는 프로그램을 작성해보자.

```python
# ex6-2.py
num = int(input("양수 입력: "))
if num % 2 == 0:
        print("짝수")
else:
        print("홀수")
```

```
양수 입력: 45
홀수
```

양수를 2로 나눈 나머지가 0이면 '짝수'를 출력하고, 그렇지 않으면 '홀수'를 출력한다.

6.3 다중 if elif else 조건문

if else문은 조건의 True, False에 따라 하나를 선택해서 실행하는 조건문이라면, if elif else문은 여러 조건 중에서 True가 되는 하나의 조건문을 선택해서 실행하는 경우에 사용한다. 만약 True에 해당하는 조건이 없으면 else에 속한 문장들이 실행된다.

elif는 "else if"를 의미하며, elif는 조건에 따라 하나 이상이 존재할 수 있지만 else문은 한번만 사용해야 한다.

```
if 조건 1:
        실행할 문장들
elif 조건 2:
        실행할 문장들
else:
        실행할 문장들
```

elif 조건문의 코드블록은 조건이 여러 개일 경우 더 추가하여 사용할 수 있다. if elif else문의 순서도와 예제는 다음과 같다.

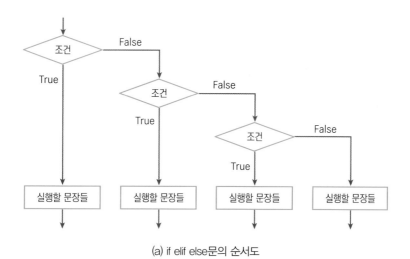

(a) if elif else문의 순서도

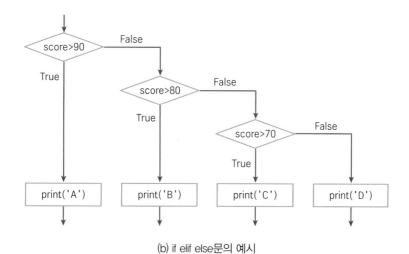

(b) if elif else문의 예시

그림 6-3　if elif else문의 순서도와 예시

예시에 해당하는 프로그램을 작성해 보면 다음과 같다.

```
>>> score = int(input("점수 입력 : "))
점수 입력 : 85
>>> if score > 90:
        print('학점 A')
elif score > 80:
        print('학점 B')
elif score > 70:
        print('학점 C')
else:
        print('학점 D')
↵
학점 B
```

실습예제 6.3 if elif else문 활용

(요구조건)

정수를 입력받아 양의정수, 0, 음수를 출력하는 프로그램을 작성해보자.

```
# ex6-3.py
num = int(input("정수 입력: "))

if num > 0:
        print("양수")
elif num == 0:
        print("0")
else:
        print("음수")
```

```
정수 입력: -5
음수
```

실습예제 6.4 if elif else문 활용

(요구조건)

덧셈, 뺄셈, 곱셈, 나눗셈이 가능한 계산기 예제이다. 원하는 연산기호(+, -, *, /, %)와 두 정수를
입력받아 계산해주는 프로그램을 작성해보자.

```python
# ex6-4.py
op = input("원하는 연산기호(+, -, *, /, %)를 입력 : ")
n1 = int(input("첫번째 수 : "))
n2 = int(input("두번째 수 : "))

if op == '+':
        print("%d + %d = %d" % (n1, n2, n1+n2) )
elif op == '-':
        print("%d - %d = %d" % (n1, n2, n1-n2) )
elif op == '*':
        print("%d * %d = %d" % (n1, n2, n1*n2) )
elif op == '/':
        print("%d / %d = %.2f" % (n1, n2, n1/n2) )
elif op == '%':
        print("%d %% %d = %d" % (n1, n2, n1%n2) )
else:
        print("연산할 수 없는 기호입니다")
```

```
원하는 연산기호(+, -, *, /, %)를 입력 : *
첫번째 수 : 10
두번째 수 : 20
10 * 20 = 200
```

6.4 중첩 if else 조건문

if를 여러 번 사용하는 조건문으로 복잡한 조건의 문제를 풀 때 사용한다. if 조건문의 코드블록으로 if문이 다시 조건을 처리하기 위해 사용될 수 있으며, else문에서도 if문을 중첩하여 사용할 수 있다. 조건을 중첩 처리하게 되므로 중첩 if 조건문이라 부른다.

```
if 조건 1:
    if 조건 2:
        실행할 문장들
    else:
        실행할 문장들
else:
    실행할 문장들
```

다음 순서도는 if 조건이 True인 경우 블록 내에 또 다른 if else문이 있는 경우이다.

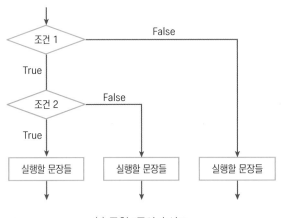

(a) 중첩 if문의 순서도

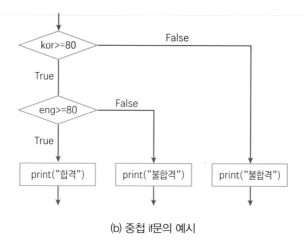

(b) 중첩 if문의 예시

그림 6-4 중첩 if문의 순서도와 예시

예시에 해당하는 프로그램을 작성해보면 다음과 같다. 국어 점수가 80점 이상, 영어 점수가 80점 이상인 경우에만 합격이라고 할 때, 합격 불합격을 알려주는 프로그램이다. 먼저 if else 문과 논리 연산자 and로 이루어진 조건식으로 프로그래밍을 해보면 다음과 같다.

```
>>> kor = int(input("국어 점수 : "))
국어 점수 : 78
>>> eng = int(input("영어 점수 : "))
영어 점수 : 88
>>> if kor >=80 and eng >= 80:
        print("합격")
else:
        print("불합격")
↵
불합격
```

if 문에 and 결합하여 조건을 주게 되면 합격과 불합격의 결과만 알 수 있고, 어느 과목으로 불합격 인지 여부는 파악할 수 없게 된다. 중첩 if문을 사용하면 어느 과목에서 불합격이 나왔는지 알 수 있다.

```
>>> kor = int(input("국어 점수 : "))
국어 점수 : 78
>>> eng = int(input("영어 점수 : "))
영어 점수 : 88
>>> if kor >= 80:
        if eng >= 80:
            print("국어 합격,  영어 합격")
        else:
            print("국어 합격, 영어 불합격")
    else:
        if eng >=80:
            print("국어 불합격, 영어 합격")
        else:
            print("국어 불합격, 영어 불합격")
↵
국어 불합격, 영어 합격
```

 **실습예제 6.5**   중첩 if문 활용

(요구조건)

2의 배수이면서 3의 배수인지 확인하는 예제이다. 하나의 수를 입력받아 2의 배수이면서 3의 배수인지 아닌지를 출력해주는 프로그램을 작성해보자.

```python
# ex6-5.py
num = int(input("양수 입력: "))
if num % 2 == 0:
        if num % 3 == 0:
                print("2의 배수이면서 3의 배수임")
        else:
                print("2의 배수이나 3의 배수 아님")
else:
        if num % 3 == 0:
                print("2의 배수 아니나 3의 배수임")
        else:
                print("2의 배수 아니고 3의 배수 아님")
```

```
양수 입력: 35
2의 배수 아니고 3의 배수 아님
```

1. 도어의 비밀번호가 다음과 같이 주어졌을 때, 사용자로부터 비밀번호를 입력받아 문을 여는 프로그램을 작성하시오.

   keyNum = "6050"

   [요구사항]   비밀번호는 문자열로 처리

   [입력사항]   도어 비밀번호 입력: 6050

   [출력사항]   문이 열립니다.

2. 주민등록번호를 "021012-3456789"와 같이 입력받아 남자인지 여자인지 구별하여 출력하는 프로그램을 작성하시오.

   [요구사항]   주민등록 번호 뒷자리 1글자로 해결

                남자: '1', '3'   여자: '2', '4'

   [입력사항]   주민등록번호 입력: 4

   [출력사항]   여자입니다

3. 졸업을 위해 이수 학점이 140학점 이상 되어야 한다. 현재까지 취득한 학점을 입력하여 졸업에 필요한 남은 이수 학점을 알려주는 프로그램을 작성하시오.

   [입력사항]   이수 학점: 128

   [출력사항]   졸업을 위해 12학점이 요구됩니다.

4. 사용자로부터 값을 두 개 입력받아 두 수의 합이 짝수이면서 3의 배수인지를 구하는 프로그램을 작성하시오.

   [입력사항]   첫 번째 수: 12

                두 번째 수: 10

   [출력사항]   짝수이지만 3의 배수는 아닙니다.

5. 좌표계에 있는 x, y 좌표 값을 입력받아 몇 사분면에 위치하는 출력하는 프로그램을 작성하시오.

[입력사항]   x 좌표 : -9

y 좌표 : 5

[출력사항]   2사분면에 위치합니다

6. 메뉴에서 원하는 연산 번호와 정수 두 개를 입력받아 덧셈, 뺄셈, 곱셈, 나눗셈을 수행해주는 프로그램을 작성하시오.

```
***********************************************
  1. 덧셈  2. 뺄셈  3. 곱셈  4. 나눗셈  5. 나머지
***********************************************
[요구사항] 나눗셈 선택 시 소수점 2자리 출력
[입력사항] 연산 번호: 2
첫 번째 수: 35
두 번째 수: 13
[출력사항] 35 - 13 = 22
```

7. 사용자로부터 원하는 메뉴 번호를 입력받아 가격을 출력하는 프로그램을 작성하시오.

```
***************************************************************
******
  1. 아메리카노(3000원) 2. 에스프레소(4000원) 3. 카페라떼(4500원) 4. 모카프라치노(5000원)
***************************************************************
******
[입력사항] 메뉴 번호 선택: 3
[출력사항] 4500원입니다.
```

8. 알파벳 문자를 하나 입력받아 모음인지 자음인지 출력하는 프로그램을 작성하시오.

[요구사항]   모음 : 'a', 'e', 'i', 'o', 'u'

[입력사항]   알파벳 입력: u

[출력사항]   모음입니다

9. 세 개의 양의 정수를 입력받아 가장 큰 수를 출력하는 프로그램을 작성하시오.

[입력사항]   첫 번째 수: 45

두 번째 수: 56

세 번째 수: 23

[출력사항]   가장 큰 수 : 56

10. 국어, 영어, 수학 점수를 입력받아 총점, 평균을 구한 후, 평균이 80.0점 이상이면 PASS 아니면 FAIL을 출력하는 프로그램을 작성하시오.

[요구사항]   평균은 소수점 1자리 처리

[입력사항]   국어 점수: 85

영어 점수: 72

수학 점수: 60

[출력사항]   총점 : 217   평균: 72.3

FAIL

반복문

CONTENTS

7.1 for 반복문

반복문은 정해진 조건이나 횟수를 만족하는 동안 어떤 문장들이 반복적으로 수행해야 할 경우 사용한다. for문은 실행할 문장들을 정해진 범위나 횟수만큼 반복해서 실행하는 것으로 범위 뒤에 콜론(:)을 사용하고, for에 속하는 실행할 문장들은 들여쓰기를 한다.

for문의 형식은 다음과 같이 표현 할 수 있다.

```
for 변수 in 범위:
    실행할 문장 1
    실행할 문장 2
    ...
```

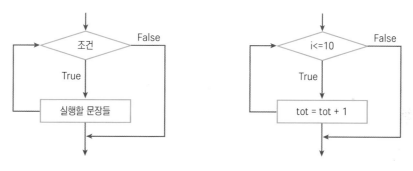

그림 7-1 for문의 순서도와 예시

7.1.1 for와 range( )

range( )는 반복의 범위를 표현하기 위해 반복 횟수에 대해 시작, 정지(끝), 증감 조건을 정수로 정할 수 있다.

(1) range(시작, 끝, 증가폭)

for문은 range( )에서 in으로 숫자를 하나씩 꺼내서 반복하는 방식이다. 그러나 반복을 멈추는데 사용되는 끝에 와야 할 숫자는 주의할 필요가 있다.

range(0, 100, 1)는 0부터 시작하여 99까지 1씩 증가시켜 가면서 처리하는 문장으로,

끝 위치에 오는 수는 반복을 멈추길 원하는 수보다 1 큰 값(+1)을 사용한다.

range(100, 0, −1)는 100부터 시작하여 1까지 −1씩 증가시켜 가면서 처리하는 문장으로, 끝 위치에 오는 수는 반복을 멈추고자 하는 수보다 1 작은 값(−1)을 사용한다.

for문을 이용하여 'Hello Python!'을 10번(0~9) 출력해보자.

```
>>> for i in range(0, 10, 1):
        print("Hello Python! ", i)
↵
Hello Python! 0
… (생략)
Hello Python! 8
Hello Python! 9
```

 실습예제 7.1   range(시작, 끝, 증가폭)

(요구조건)

1부터 100까지 합을 구하여 출력하는 프로그램을 작성하시오.

```
# ex7-1.py
tot = 0
for i in range(1, 101, 1):
    tot = tot + i
print("1-100까지 합: %d" % tot)
```

```
1-100까지 합: 5050
```

(2) range(시작, 끝)

range에 시작하는 숫자와 끝내는 숫자를 지정해서 반복을 수행할 수 있다. 증가폭을 생략하면 1씩 증가하는 것으로 볼 수 있다.

for문을 이용하여 'Let's go to space!'을 10번(0~9) 출력해보자.

```
>>> for i in range(0, 10):
        print("Lets go to space! ", i)
↵
Let's go to space! 0
… (생략)
Let's go to space! 8
Let's go to space! 9
```

range의 범위에서 0부터 시작하여 끝에 해당하는 숫자보다 1 작은 수(9)가 출력되고 있다.

다음과 같이 숫자를 감소시키면서 'Do you know metaverse?'을 출력해보자.

```
>>> for i in range(10, 0):
        print("Do you know metaverse?", i)
↵
>>>
```

range(10, 0)과 같이 시작하는 숫자가 끝나는 숫자보다 클 때 자동으로 숫자를 감소시키면서 처리하는지 살펴보면 실제로 아무것도 실행되지 않는다. range는 숫자의 증가폭이 기본적으로 +1 이기 때문이다.

⚙️ 실습예제 7.2   range(시작, 끝)

[요구조건]

정수의 구구단 단 값을 입력받아 출력하는 프로그램을 작성하시오.

```
# ex7-2.py
dan = int(input("원하는 단을 입력: "))
for i in range(1, 10):
    print("%d * %d = %d" %(dan, i, dan*i) )
```

```
원하는 단을 입력: 8
8 * 1 = 8
8 * 2 = 16
… (생략)
8 * 8 = 64
8 * 9 = 72
```

반복을 위한 변수 i는 range의 시작값인 1부터 차례로 가져와 9까지 반복하면서 블록에 해당하는 문장을 처리한다.

(3) range(끝)

range에 반복할 횟수를 지정하거나, 0부터 1씩 증가시키면서 실행해야 할 문장이 있을 때 끝에 해당하는 숫자만 넣어준다.

```
>>> for i in range(10):
        print("달구나 파이썬 ", i)
↵
달구나 파이썬 0
… (생략)
달구나 파이썬 8
달구나 파이썬 9
```

'달구나 파이썬'의 문자열을 0부터 9까지 1씩 증가시키면서 10번 출력한다. range( ) 함수에 끝에 해당하는 숫자만 넣어줄 때는 시작은 0부터, 증가는 1씩 된다는 의미이다.

7.1.2 for와 리스트

for문에 리스트(list)와 같이 요소를 제어할 수 있는 자료형이 오면 요소의 순서를 고려하여 반복할 수 있다.

```
>>> numlist = [10, 20, 30, 40, 50]
>>> for i in numlist:
        print(i, end=" ")
↵
10 20 30 40 50
```

numlist에 있는 0번째 요소의 값부터 i 변수에 대입시켜 출력하게 되며, 모든 요소들이 끝날 때까지 출력을 반복한다. end=" "는 출력의 형태를 정하는 옵션 중의 하나로 줄바꿈(개행)을 하여 출력하지 않고 빈 공백만큼 띄워 출력하게 한다.

i = numlist[0]	print(i)	10
i = numlist[1]	print(i)	20
i = numlist[2]	print(i)	30
i = numlist[3]	print(i)	40
i = numlist[4]	print(i)	50

 **실습예제 7.3**

[요구조건]

5명의 학생의 점수가 들어있는 리스트가 있다. 합과 평균을 구하여 출력하는 프로그램을 작성해보자.

```
# ex7-3.py
hap = 0
for i in [80, 75, 60, 90, 85]:
    hap = hap + i
print("총합: %d" % hap)
    avg = hap / 5
print("평균 : %d" % avg)
```

총합 : 390 평균 : 78

합계를 계산하는 변수 hap을 0으로 초기화 한 후 사용한다. 리스트의 0번째 요소에 들어있는 값부터 차례로 가져와 hap에 들어 있는 값과 연산하여 다시 hap에 대입한다.

 실습예제 7.4

[요구조건]

1부터 100까지 들어있는 리스트를 만들어 짝수의 합과 홀수의 합을 구하는 프로그램을 작성하시오.
- range(1,101)의 범위값을 list() 함수를 적용하여 numlist = [1, 2, 3, …, 99, 100]를 만든다.

```
# ex7-4.py
numlist = list(range(1, 101))
even = 0
odd = 0
for i in numlist:
    if i % 2 == 0:
            even = even + i
    else:
            odd = odd + i
print("1-100까지 짝수 합: %d" % even)
print("1-100까지 홀수 합: %d" % odd)
```

```
1-100까지 짝수 합: 2550
1-100까지 홀수 합: 2500
```

list(x)는 x에 해당하는 내용을 리스트로 만드는 함수이다. x에는 범위를 나타내는 range뿐만 아니라 튜플, 문자열 등도 해당된다.

for 반복문 블록에 if else 조건문으로 2로 나눈 나머지가 0이면 짝수의 합을 더하고, 아니면 홀수의 합을 더하여 각각 출력한다.

 실습예제 7.5

(요구조건)

5과목의 점수가 들어있는 score_list가 있다. 과목들의 평균이 80점 이상이면 PASS이고 아니면 FAIL이 되는 프로그램이다. 프로그램을 완성하시오.

```python
# ex7-5.py
score_list = [90, 85, 65, 70, 80]
tot = 0
for i in score_list:
        tot = tot + i
avg = tot / len(score_list)
print("평균 : %.2f" % avg)
if avg >= 80:
        print("PASS")
else:
        print("FAIL")
```

```
평균 : 78.00
FAIL
```

len( ) 함수는 리스트의 길이를 반환하는 함수이다. 총합을 구한 tot에 score_list의 요소 개수만큼 나누어 평균을 구한다.

7.1.3 for와 튜플

for문에 튜플(tuple)과 같이 시퀀스를 나타내는 자료형이 오면 순서대로 요소를 반복
처리할 수 있다.

```
>>> seasons = ('spring', 'summer', 'fall', 'winter')
>>> for x in seasons:
        print(x)
```

```
spring
summer
fall
winter
```

🛠️ **실습예제 7.6**

[요구조건]

1부터 100까지 합을 구하여 출력하는 프로그램을 튜플을 적용하여 작성해보자. 튜플에 1부터 100
까지 나열하지 않고 range와 결합하여 사용할 수 있다.

```
# ex7-6.py
tpl = tuple(range(1, 101))
tot = 0
for i in tpl:
    tot = tot + i
print("1-100까지 합: %d" %tot)
```

```
1-100까지의 합: 5050
```

tuple(x)는 x를 튜플을 만드는 함수이다. 따라서 range뿐만 아니라 리스트, 문자열 등
도 튜플로 만들 수 있다.

7.1.4 for와 문자열

문자열(string)은 시퀀스를 갖고 있어 요소에 대한 위치를 나타내는 인덱싱(indexing)과 요소의 부분을 제어하는 슬라이싱(slicing)이 되므로 for문과 결합하여 반복을 처리하는 데 사용할 수 있다.

for에 문자열을 지정하면 문자를 하나씩 꺼내와 변수에 넣어 반복을 처리할 수 있다.

```
>>> for ch in "Python":
        print(ch, end=' ')
↵
P y t h o n
```

실습예제 7.7

(요구조건)

주어진 문장에서 모음의 갯수를 세는 프로그램을 작성해보자.

```
# ex7-7.py
  str = "time is capital, invest it wisely"
  count = 0
  for x in str:
     if x=='a' or x=='e' or x=='i' or x=='o' or x=='u':
        count = count+1

  print("모음의 갯수: %d" % count)
```

```
모음의 갯수: 11
```

변수 str에 문자열을 대입하고 한 문자씩 차례로 x에 가져와 모음인지 판별하여 갯수를 센다.

7.1.5 for와 딕셔너리

딕셔너리(dictionary)는 key와 value의 쌍으로 구성되어 있으며, 리스트나 튜플처럼 순차적으로 요소를 처리하지 않고 key를 통해 value를 찾는다. 그러므로 key는 값은 변하지 않는 값을 사용하고, value는 변하지 않는 값과 변하는 값 모두 사용할 수 있다.

딕셔너리는 다음 표와 같이 구성된 데이터를 표현하고 유용하게 처리할 수 있다.

key	value
name	홍길동
birth	1208
hobby	축구

```
>>> info = {'name':'홍길동', 'birth':'1208', 'hobby':'축구'}
>>> for x in info.keys():
        print(x)
↵
name
birth
hobby
```

for문을 사용하여 딕셔너리의 key 값들을 불러오기 위해 keys( )를 사용하며, value에 해당하는 값들은 values( )를 사용한다.

```
>>> for y in info.values():
        print(y)
↵
홍길동
1208
축구
```

그리고 key와 value 값들을 모두 불러오기 위해서는 items( )를 사용한다.

```
>>> for z in info.items():
        print(z)
↵
('name', '홍길동')
('birth', '1208')
('hobby', '축구')
```

info.items( )는 key와 value의 쌍을 튜플로 묶어 리스트형으로 돌려준다. info.keys( ) 와 info.values( ) 역시 리스트를 사용하는 것과 동일하게 사용할 수 있다.

```
>>> info.items()
    dict_items([('name', '홍길동'), ('birth', '1208), ('hobby', '축구')])
```

실습예제 7.8

요구조건

분식집의 메뉴와 가격을 적어 놓은 표가 있다. 각 메뉴를 모두 시켰을 때 지불해야 할 금액을 계산 하시오.

key	value
떡볶이	3000
라면	2500
오뎅	1500
순대	3500

```
# ex7-8.py
snack = {'떡볶이':3000, '라면':2500, '오뎅':1500, '순대':3500}

hap = 0
for x in snack.values():
    hap = hap + x

print("분식의 총합: %d" % hap)
```

분식의 총합 : 10500

7.2　while 반복문

while문은 시작하기 전에 조건에 사용할 값을 초기화한다. 이 값을 기준으로 조건을 판단하고 조건이 만족하면 while문에 포함된 실행할 문장들(블록)을 실행한다. while 문의 조건이 참(True)인 동안 반복하므로 블록 안에 증감값이나 조건 변경을 통해 반복을 멈출 수 있다.

while문의 형식은 다음과 같이 표현 할 수 있다.

```
초기값
while 조건:
        실행할 문장 1
        실행할 문장 2
        …
        조건 변경 or 증감값
```

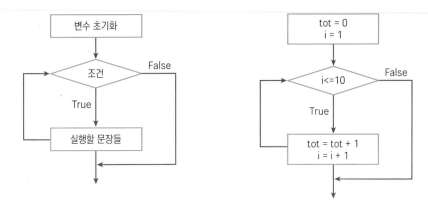

그림 7-2 while문의 순서도와 예시

while문의 조건은 계속 반복할 지에 대한 조건이다. 조건이 거짓(False)이 되면 while 문의 코드 블록을 실행하지 않고 다음 명령 문장으로 넘어간다.

7.2.1 while과 증감값

증감값은 while문 코드블록에서 조건을 변화시켜 반복을 중지할 수 있다. while문의 조건에 사용된 변수를 증가 또는 감소시켜 참인 동안 계속 반복하게 된다. while문에 조건만 있고 실행할 코드 블록 내에 증감값이 없다면 반복이 끝나지 않고 무한루프 될 수 있다.

while문을 사용하여 "Python world!"를 10번 출력해보자.

```
>>> i = 1
>>> while i <= 10:
        print("Python world! ", i)
        i += 1                      # i = i + 1
↵
Python world! 1
… (생략)
Python world! 9
Python world! 10
```

반복문에 사용할 변수 i에 1을 할당한다. 그리고 while에는 조건(i <= 10)을 지정하고, while문의 반복할 코드 안에 i를 1씩 증가하도록 한다.

초기값 i=10을 1씩 감소시켜 가면서 "squid game!"을 10번 출력하는 프로그램 작성해 본다.

```
>>> i = 10
>>> while i > 0:
        print("squid game! ", i)
        i -= 1                          # i = i - 1
↵
squid game! 10
… (생략)
squid game! 2
squid game! 1
```

while문은 for문으로 작성한 코드를 대신할 수 있고, 반대로 for문으로 작성한 코드도 while문으로 작성할 수 있다.

 실습예제 7.9

요구조건

양의 정수 n을 입력받아 1부터 n까지의 합을 구하는 프로그램을 작성하시오.

```
# ex7-9.py
n = int(input("합을 구하고자 하는 양의 정수: "))
tot = 0
i = 1
while i <= n:
        tot += i
        i += 1
print("1부터 %d까지의 합: %d" %(n, tot))
```

합을 구하고자 하는 양의 정수: 35
1부터 35까지의 합: 630

while 조건이 참(True)인 동안 반복하므로 1부터 입력받은 양수까지 i의 값을 tot에 누적하고, 조건이 거짓(False) 되면 반복을 종료한다.

 실습예제 7.10

요구조건

원하는 구구단을 입력받아 출력하는 프로그램을 while문으로 작성하시오.

```
# ex7-10.py
dan = int(input("구구단 입력: "))
n = 1
while n < 10:
    print("%d * %d = %d" % (dan, n, dan*n))
    n +=1
```

구구단 입력: 7
7 * 1 = 7
7 * 2 = 14
7 * 3 = 21
7 * 4 = 28
7 * 5 = 35
7 * 6 = 42
7 * 7 = 49
7 * 8 = 56
7 * 9 = 63

while문은 사용할 변수를 먼저 초기화 한 후 while 조건이 참인 동안 블록의 실행문을 반복한다. 조건이 i < 10 이므로 증가를 위한 i를 블록 내에 두어 i==10되면 반복을 종료한다.

실습예제 7.11

(요구조건)

정수를 반복적으로 입력받은 후, 0이 입력되면 종료되고 입력받은 값 중 제일 큰 값을 출력하는 프로그램을 작성하시오.

```
# ex7-11.py
num = int(input("정수 입력 (입력이 0이면 종료) : "))
max = num

while num !=0:
    num = int(input("정수 입력 (입력이 0이면 종료) : "))
    if num > max:
        max = num
print("최댓값은", max, "입니다")
```

```
정수 입력(입력이 0 이면 종료) : 12
정수 입력(입력이 0 이면 종료) : 54
정수 입력(입력이 0 이면 종료) : 36
정수 입력(입력이 0 이면 종료) : 78
정수 입력(입력이 0 이면 종료) : 27
정수 입력(입력이 0 이면 종료) : 0
최댓값은 78 입니다
```

7.3 중첩 반복문

중첩 반복문은 반복문 안에 또 다른 반복문이 들어가는 형태이다. 중첩 for문과 중첩 while문이 있다.

7.3.1 중첩 for문

먼저 바깥의 for문의 첫 번째 반복이 실행되고 안쪽 for문의 실행할 문장들이 반복된 후, 바깥의 for문의 두 번째 반복이, 그리고 안쪽 for문의 실행할 문장들이 반복되는 구조이다.

```
for 변수 in 범위:          # 바깥쪽 루프
    for 변수 in 범위:        # 안쪽 루프
        실행할 문장1
        ...
    실행할 문장1
    ...
```

따라서 중첩 for문의 실행 횟수는 바깥 for문의 반복횟수×안쪽 for문의 반복횟수이다.

```
>>> for i in range(5):
        for j in range(5):
            print("j=", j, end=' ')
        print("i=", i)
↵
j= 0      j= 1      j= 2      j= 3      j= 4      i= 0
j= 0      j= 1      j= 2      j= 3      j= 4      i= 1
j= 0      j= 1      j= 2      j= 3      j= 4      i= 2
j= 0      j= 1      j= 2      j= 3      j= 4      i= 3
j= 0      j= 1      j= 2      j= 3      j= 4      i= 4
```

실습예제 7.12

(요구조건)

중첩 for문으로 2단부터 9단까지 구구단을 출력하는 프로그램을 작성하시오.

```
# ex7-12.py
for i in range(2, 10, 1):
    for j in range(1, 10, 1):
        print("%d * %d = %2d" % (i, j, i*j))
    print()
```

```
2 * 1 = 2
2 * 2 = 4
2 * 3 = 6
2 * 4 = 8
    ...
    ...
9 * 7 = 63
9 * 8 = 72
9 * 9 = 81
```

구구단의 각 단은 2단부터 9단까지이므로 바깥쪽 반복문으로 range(2, 10, 1)를 사용하며, 각 단은 1부터 9까지의 반복으로 연산되므로 안쪽 루프는 range(1, 10, 1)을 사용하여 중첩 반복문을 만들어 사용한다.

다음은 중첩 for문으로 2단부터 9단까지 구구단을 다른 형태로 출력하는 프로그램이다.

```
>>> for i in range(1, 10, 1):
        for j in range(2, 10, 1):
            print("%d*%d=%2d" % (j, i, j*i), end=' ' )
        print()
```

```
2*1= 2   3*1= 3   4*1= 4   5*1= 5   6*1= 6   7*1= 7   8*1= 8   9*1= 9
2*2= 4   3*2= 6   4*2= 8   5*2=10   6*2=12   7*2=14   8*2=16   9*2=18
2*3= 6   3*3= 9   4*3=12   5*3=15   6*3=18   7*3=21   8*3=24   9*3=27
2*4= 8   3*4=12   4*4=16   5*4=20   6*4=24   7*4=28   8*4=32   9*4=36
2*5=10   3*5=15   4*5=20   5*5=25   6*5=30   7*5=35   8*5=40   9*5=45
2*6=12   3*6=18   4*6=24   5*6=30   6*6=36   7*6=42   8*6=48   9*6=54
2*7=14   3*7=21   4*7=28   5*7=35   6*7=42   7*7=49   8*7=56   9*7=63
2*8=16   3*8=24   4*8=32   5*8=40   6*8=48   7*8=56   8*8=64   9*8=72
2*9=18   3*9=27   4*9=36   5*9=45   6*9=54   7*9=63   8*9=72   9*9=81
```

range의 범위와 인덱스의 위치를 바꾸면 구구단을 다음과 같이 출력할 수 있다. 바깥쪽 for문의 range 시작값을 1로 힘으로써 변수 i는 1부터 9까지 처리하며, 변수 j는 2부

터 9까지 각 단을 나타내도록 함으로써 i가 1일 때 j는 1부터 9까지 반복하므로 2*1=2
3*1=3 ⋯ 8*1=8 9*1=9 출력된다.

7.3.2 중첩 while문

while 반복문은 조건을 확인해 참이면 실행할 문장들을 반복 수행한다. 중첩 while문
은 바깥 while문안에 안쪽 while문을 중첩하여 처리하는 구조를 가진다.

```
초기값                     # 바깥쪽 루프
while 조건1:
    실행할 문장 1
    …

        초기값             #안쪽 루프
    while 조건2:
        실행할 문장1
        …
        조건 변경 or 증감값   #안쪽 루프

    조건 변경 or 증감값        # 바깥쪽 루프
```

중첩 while문은 초기값, 조건, 증감값이나 조건변경 등의 구조가 중첩되므로 논리적인
관계를 고려하여 사용해야 한다.

```
>>> i = 0
>>> while i < 3:
        j = 0
        while j < 10:
            print('*', end='')
            j += 1
        i += 1
        print()
↵
**********
**********
**********
```

i를 사용하는 바깥쪽 루프는 행(3) 처리하고, j를 사용하는 안쪽 루프는 열(10)을 처리한다. 먼저 i=0일 때 바깥쪽 루프의 while 조건이 참이므로 코드블록 내의 명령 문장들을 실행한다. j=0을 실행하고 안쪽 루프인 while의 조건인 j < 10을 검사하고 참이므로 안쪽 while 코드블록의 명령 문장들을 실행한다. j 가 10이 되면 안쪽 루프는 종료되고, 바깥쪽 while의 실행 문장인 i값의 1증가와 한줄 개행하는 print( )문을 실행하면 출력 ********** 이 완료된다. 그러나 아직 바깥쪽 루프의 조건인 i < 3 조건을 만족(참)하므로 계속해서 안쪽 루프를 반복하는 방식으로 처리한다. end는 줄바꿈을 하지 않고 붙여쓰기 위해 한 칸을 띄우는 ' '를 사용하지 않고 ''를 사용한다.

실습예제 7.13

요구조건

중첩 while문으로 2단부터 9단까지 구구단을 출력하는 프로그램을 작성하시오.

```python
# ex7-13.py
dan = 2
while dan <10:
    y = 1
    while y < 10:
        print("%2d*%2d=%2d" % (dan, y, dan*y))
        y += 1
    print()
    dan += 1
```

```
2 * 1 = 2
2 * 2 = 4
2 * 3 = 6
2 * 4 = 8
...
...
```

```
9 * 7 = 63
9 * 8 = 72
9 * 9 = 81
```

실습예제 7.14

요구조건

중첩 while문을 사용하여 역삼각형 모양의 별을 출력하는 프로그램을 작성하시오.

```python
# ex7-14.py
i = 0
while i < 5:
    j = 5
    while j > i :
        print('*', end='')
        j = j -1            # j -= 1
    print()
    i += 1
```

```
*****
****
***
**
*
```

 **실습예제 7.15**

[요구조건]

중첩 while문을 사용하여 삼각형을 이루는 알파벳을 출력해보자.

```python
# ex7-15.py
i = 65
while i < 91:
    j = 65
    while j <= i :
        print("%c" % j, end='')
        j = j + 1
    print()
    i = i + 1
```

```
A
AB
ABC
ABCD
ABCDE
ABCDEF
ABCDEFG
ABCDEFGH
ABCDEFGHI
ABCDEFGHIJ
...
...
ABCDEFGHIJKLMNOPQRST
ABCDEFGHIJKLMNOPQRSTU
ABCDEFGHIJKLMNOPQRSTUV
ABCDEFGHIJKLMNOPQRSTUVW
ABCDEFGHIJKLMNOPQRSTUVWX
ABCDEFGHIJKLMNOPQRSTUVWXY
ABCDEFGHIJKLMNOPQRSTUVWXYZ
```

7.4 break 문과 continue 문

반복문 사용할 때 강제로 무한루프를 탈출한다거나 무한루프의 특정부분의 실행을 생략하고 계속 반복해야 할 필요가 있을 때 분기문으로 break와 continue문을 사용한다.

7.4.1 break문

while문은 반복의 횟수가 정해지지 않을 때 유용하게 사용될 수 있다. 이 때 반드시 루프를 벗어나게 하는 명령이 필요하다. 반복 조건이 항상 True인 경우를 무한루프라고 하는데, 무한루프를 빠져 나오기 위해 if문을 사용하여 조건을 검사하고, 그 조건이 만족할 때 break를 사용하여 루프를 벗어난다.

while문의 무한루프를 이용하여 1부터 10까지 출력하는 예제를 작성해보자

```
>>> num = 1
>>> while True:
    print(num, end=" ")
    num += 1
    if num > 10:
        break
↵
1 2 3 4 5 6 7 8 9 10
```

while문의 반복의 조건이 True(참)이므로 무한루프가 실행되며, 반복을 중지하기 위한 조건을 코드블록 내에 제시함으로써 num이 10보다 크게 되면 루프를 빠져 나온다.

실습예제 7.16

1부터 1씩 증가시키면서 더하기를 하면서 합이 1000 이상이 되는 수와 그 수까지의 합을 계산하는 프로그램을 break를 사용하여 작성해보자.

```
# ex7-16.py
i = 1
tot = 0
while True:
    tot = tot + i
    if tot >= 1000:
        print("1부터 %d까지 더했을 때 합: %d" %(i, tot) )
        break
    i += 1
```

```
1부터 45까지 더했을 때 합: 1035
```

for 반복문에서도 일정한 조건을 만족할 때 반복의 코드블록을 빠져 나오도록 break 문을 사용할 수 있다. 위의 코드를 반복의 조건을 정하여 다음과 같이 작성할 수 있다.

```
i = 1
tot = 0
for i in range(1, 101):
    tot += i
    if tot >= 1000:
        break

print("1부터 100의 합이 처음 1000을 넘는 수: %d" % i)
print("1부터 %d까지의 합: %d" % (i, tot))
```

```
1부터 100의 합이 처음 1000을 넘는 숫자: 45
1부터 45까지의 합: 1035
```

반복 블록을 수행하다가 break를 만나면 break가 속한 가장 안쪽 반복문을 찾아서 그 반복문을 종료한다. break가 포함된 블록은 if 블록이지만 if 문은 반복문이 아니므로 바깥에 있는 for문을 종료한다.

 **실습예제 7.17**

(요구조건)

while문을 사용하여 양의 정수들을 입력받아 합을 구하는 프로그램이다. 0을 입력하면 종료되고 이전의 입력한 숫자들을 더하여 출력하는 프로그램을 작성하시오.

```python
# ex7-17.py
print("양수를 입력하시오 (종료 : 0) ")
tot = 0
while True:
    n = int(input( ))
    if n == 0:
        break
    tot = tot + n
print("총합: ", tot)
```

```
8
12
34
71
28
0
총합: 153
```

요구조건

while문을 사용하여 피보나치수열을 구하여 출력하는 프로그램을 작성하시오. 단 백만 이하의 수
만 출력한다.

```
# ex7-18.py
x, y, z = 0, 1, 0
print("%d, %d, " %(x, y) )

while True:
    z = x + y
    if z > 1000000:
        break
    print("%d, " % z, ' ', end=' ' )
    x = y
    y = z
```

1 1 2 3 5 8 13 21 34 55 89 144 233 377 610 987 1597 2584 4181 6765 10946 17711
28657 46368 75025 121393 196418 317811 514229 832040 1346269 2178309 3524578
5702887 9227465

7.4.2 continue문

break문은 반복문의 제어 흐름을 완전히 벗어나서 반복루프를 중단하는데 쓰이는 반
면 continue문은 계속 반복의 흐름을 유지하면서 일정 코드의 실행을 건너뛰는데 사용
한다.

1부터 30까지의 수에서 2의 배수 또는 3의 배수를 제외한 수를 continue문을 사용하여
출력해보자.

```
>>> for i in range(1, 31):
    if i % 2 ==0 or i % 3 == 0:
        continue
    print(i, end=' ')
↵
1  5  7  11  13  15  19  23  25  29
```

while문에서도 continue를 사용하여 반복을 유지하면서 특정 조건에 해당하는 문장만 건너뛰도록 할 수 있다.

실습예제 7.19

(요구조건)

while문과 continue문을 사용하여 1부터 100까지의 수에서 5의 배수를 제외한 수의 합을 구하는 프로그램을 작성하시오.

```
# ex7-19.py
hap, i = 0, 0
while i < 100:
    i = i +1
    if i % 5 == 0:
        continue
    hap = hap + i
print("1-100에서 5의 배수를 제외한 수의 합 : %d" % hap)
```

```
1-100에서 5의 배수를 제외한 수의 합 : 4000
```

while문에서 continue 사용 시 주의할 점은 증감을 위해 사용된 변수 i의 위치이다. i의 위치가 continue문 아래에 있게 되면 증감이 이뤄지지 않고 i 값이 같은 값으로 반복되므로 원하는 결과를 얻을 수 없게 된다.

⚙ 실습예제 7.20

(요구조건)

시작하는 수와 끝 수를 입력받아 두 수 사이의 숫자 중 3으로 끝나지 않는 숫자를 출력하는 프로그램을 작성하시오.

```python
# ex7-20.py
print("시작 수와 끝 수를 입력하세요 : ", end=' ')
start, stop = map(int, input().split())

n = start
while True:
    n += 1
    if n % 10 == 3:
        continue
    if n > stop:
        break
    else:
        print(n, end=' ')
```

```
시작 수와 끝 수를 입력하세요 : 21 40
21 22 24 25 26 27 28 29 30 31 32 34 35 36 37 38 39 40
```

break가 반복문을 즉시 끝내는 기능이라면 continue는 다음 실행문장들을 하지 않고 다음 반복을 즉시 시작하는 기능이다. 여기서는 n을 10으로 나누었을 때 나머지가 3이면 continue를 실행한다. continue를 만나면 즉시 그 다음 코드는 무시하고 반복문의 처음으로 돌아가 다음 반복으로 실행한다.

1. for문을 사용하여 score에 5개 값을 입력받아 총점과 평균을 출력하고, 만약 평균이 70점 이상이면 '합격'을 그렇지 않으면 '불합격'을 출력하는 프로그램을 작성하시오.

   <조건> score = [ ]

   [입력사항]   5개 정수

   [출력사항]

   총점 :

   평균 :

   합격/불합격

2. for문을 사용하여 사용자에게 양의 정수 n을 입력받아 1부터 n까지 홀수들의 합을 구하는 프로그램을 작성하시오.

   [입력사항]   자연수 입력 : 9

   [출력사항]   홀수 합 : 25

3. 두 정수를 입력하여 두 정수 사이의 모든 정수의 합을 구하는 프로그램을 while문으로 작성하시오. 단 두 정수의 순서가 바뀌어도 된다. 1, 50 또는 50, 1이 입력되어도 같은 값이 나오도록 한다.

   [입력사항]   첫번째 수: 100

   두번째 수: 25

   [출력사항]   100부터 25까지의 합: 4750

4. *를 하나씩 증가하면서 10줄을 출력하여 삼각형을 만드시오.

   <조건> for문을 한번만 사용하여 할 것

   ```
   *
   **
   ***
   ****
   *****
   ******
   *******
   ********
   *********
   **********
   ```

5. 행복 문방구의 문구류 가격과 구입하려는 개수는 다음 표와 같다. 구매에 드는 총비용을 출력하는 프로그램을 작성하시오.

문구	가격	개수
연필	500	5
볼펜	1000	3
지우개	500	2
줄자	1500	4

[출력사항] 문구 구매 총합 :

6. 양수를 입력받아 그 수가 짝수인지 홀수인지 판별하는 프로그램을 작성하시오.

<조건> while문의 무한루프를 할 것

0을 입력하면 'The End'를 출력하고, break문을 사용하여 무한루프를 빠져 나올 것

[입력사항]   양수
[출력사항]   9

홀수

4

짝수

…

0

The End

7. for문을 사용하여 2단부터 9단까지 구구단을 출력하는 프로그램을 작성하시오.

[출력사항] 2단 :   2 4 6 8 10 12 14 16 18
3단 :   3 6 9 12 15 18 21 24 27
4단 :   4 8 12 16 20 24 28 32 36
5단 :   5 10 15 20 25 30 35 40 45
6단 :   6 12 18 24 30 36 42 48 54
7단 :   7 14 21 28 35 42 49 56 63
8단 :   8 16 24 32 40 48 56 64 72
9단 :   9 18 27 36 45 54 63 72 81

8.   수를 입력받아 그 수가 소수인지 판별하는 프로그램을 작성하시오.

    <조건> while문의 무한루프로 작성할 것

           0을 입력하면 'EXIT'를 출력하고, break문을 사용하여 무한루프를 빠져 나올 것

    [입력사항] 정수

    [출력사항] number : 10

           10은 소수가 아닙니다.

           number : 17

           17은 소수입니다.

           number : 29

           29은 소수입니다.

           number : 0

           EXIT

9.   while문을 이용하여 100에서 1까지의 수를 출력하는 프로그램을 작성하시오.

    <조건> 한 줄에는 10개의 수만을 출력하고 , 수들 사이를 탭(tab) 간격만큼 띄울 것

[출력사항]	100	99	98	97	96	95	94	93	92	91
	90	89	88	87	86	85	84	83	82	81
	80	79	78	77	76	75	74	73	72	71
	70	69	68	67	66	65	64	63	62	61
	60	59	58	57	56	55	54	53	52	51
	50	49	48	47	46	45	44	43	42	41
	40	39	38	37	36	35	34	33	32	31
	30	29	28	27	26	25	24	23	22	21
	20	19	18	17	16	15	14	13	12	11
	10	9	8	7	6	5	4	3	2	1

10. 중첩 while문을 사용하여 다음과 같이 출력되는 프로그램을 작성하시오.

[출력사항] 1 2 3 4 5 6 7 8 9 0
2 3 4 5 6 7 8 9 0 1
3 4 5 6 7 8 9 0 1 2
4 5 6 7 8 9 0 1 2 3
5 6 7 8 9 0 1 2 3 4
6 7 8 9 0 1 2 3 4 5
7 8 9 0 1 2 3 4 5 6
8 9 0 1 2 3 4 5 6 7
9 0 1 2 3 4 5 6 7 8
0 1 2 3 4 5 6 7 8 9

함수

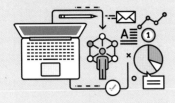

8.1   함수란?

함수(function)는 프로그래밍에서 반복되는 특정 동작을 수행하는 일정 코드 부분을 의미한다. 하나의 큰 프로그램을 기능에 따라 여러 부분으로 나누어 함수로 만들 수 있다. 한번 만들어진 함수는 필요 시 여러 상황에서 계속해서 불러 쓸 수 있으므로 프로그램의 효율성을 높일 수 있으며, 프로그램을 작은 단위인 함수로 구성했기 때문에 에러 등 일부분을 수정하기 쉽다는 장점을 가진다.

'Good morning Python'을 출력하는 함수를 만들어보자.

```
>>> def hello( ):            # 함수 정의
        print('Good morning Python')
↵
>>> hello( )                 # 함수 호출
```

def는 함수를 만들 때 반드시 있어야 하는 키워드이다. def 다음에 오는 hello는 함수 이름으로 괄호( )와 :를 붙인 뒤 다음 줄에 실행할 코드들을 작성하는데, 이를 함수 정의(definition)라고 부른다. 함수가 실행해야 할 코드블록은 들여쓰기를 한다.

그리고 만들어 놓은 함수를 사용하기 위해서는 함수 이름과 ( )를 같이 적어주는데, hello( )와 같이 사용할 수 있다. 이것을 '함수 호출'이라 부른다.

8.2   지역변수, 전역변수

변수는 사용할 수 있는 범위에 따라 크게 함수 내에서만 사용하는 변수인 지역변수와 함수 밖에서 사용할 수 있는 전역 변수로 나눈다. 변수의 사용 범위가 혼동되면 정확한 결과를 도출하기 어려우므로 구분해서 사용해야 한다.

``
>>> def func():
    a = 20   # 지역변수
    print(a)
``
	``
	>>> a = 20 # 전역변수
	>>> def func():
	    print(a)
	``

실습예제 8.1

요구조건

지역변수와 전역변수를 다루는 프로그램이다. 결과를 출력하시오.

```
# ex8-1.py
def func1():
    a = 20              # 지역변수
    print("func1()에서 a값 : %d" % a)
def func2():
    print("func2()에서 a값 : %d" % a)
a = 30                  # 전역변수
func1()
func2()
```

```
func1()에서 a값 : 20
func2()에서 a값 : 30
```

func1()은 함수 블록내에서 a를 선언하므로, a는 지역변수이다. 따라서 func1()내의 print문의 결과는 20이 출력된다. 그러나 func2() 함수의 print문에서 출력하려는 a는 함수는 함수 블록안에 있지 않고 밖에 존재한다. 따라서 func2()의 print문 결과는 30 이 출력된다.

만약 함수 내에서 사용하는 변수를 지역변수 대신 전역변수로 사용하고자 하면 변수명 앞에 global이라는 키워드를 붙여 전역변수임을 명시하여 사용한다.

실습예제 8.2

요구조건

함수 내에 전역변수를 선언하여 사용하는 프로그램이다. 결과를 출력하시오.

```python
# ex8-2.py
a = 30                      # 전역변수
def func1():
    global a                # 함수 내 선언된 전역변수
    a = 20
    print("func1()에서 a값 %d : " % a)

def func2():
    print("func2()에서 a값 %d : " % a)

func1()
func2()
```

```
func1()에서 a값 20
func2()에서 a값 20
```

8.3 함수의 유형

함수의 유형은 다음과 같이 나누어 살펴볼 수 있다.

- 값을 반환하는 함수 (return 문이 있는 함수)
- 값을 반환하지 않는 함수 (return 문이 없는 함수)
- 값을 전달받는 함수 (매개변수가 있는 함수)
- 값을 전달받지 않는 함수 (매개변수가 없는 함수)

두 수의 덧셈을 해주는 함수를 만들어 보자.

```
>>> def add(a, b):                    # a, b는 매개변수
        return a+b
↵
>>> hap = add(10, 20 )                 # 함수 호출
>>> hap
30
```

add(a, b)는 10과 20을 전달받아 두 수를 더한 값을 반환(return)하는 함수이다. 함수를 호출한 위치로 반환값이 전달되고 변수 hap에 값이 치환되어 30이 출력된다.

두 수를 인자로 전달받아 그 합을 출력하는 예제이다. 위의 예제와 다른 점은 값을 반환(return)하지 않는 함수로 작성한 것이다.

```
>>> def add(a, b):
        print("두 수의 합: ", a + b)
↵
>>> add(10, 20 )                       # 함수 호출
두 수의 합: 30
```

 실습예제 8.3   매개변수와 return문이 있는 함수

요구조건

사각형의 면적을 구하는 함수를 정의하고 호출하는 프로그램을 작성하시오.

```
# ex8-3.py
def rectangle(w, h):                   # 함수 정의
        return w * h
width = int(input("가로 입력: "))
height = int(input("세로 입력: "))
result = rectangle(width, height)      # 함수 호출
print("사각형의 면적: %d" % result)
```

가로 입력: 15
세로 입력: 8
사각형의 면적: 120

---

rectangle함수의 괄호 안의 매개변수인 w에는 width, h에는 height가 복사되어 w * h 를 수행하고 그 결과값을 반환한 후, 함수를 종료한다. 한편 함수를 호출한 위치로 반환값이 넘어오므로 result = 함수 반환값이 되어 사각형의 면적을 출력할 수 있다.

 실습예제 8.4   매개변수가 있고 반환값이 2개인 함수

(요구조건)

두 수를 입력받아 곱셈과 나눗셈을 구하는 함수를 사용하여 프로그램을 작성하시오.

```
# ex8-4.py
def mul_div(a, b):              # 함수 정의
    return a*b, a/b
a = int(input("첫번째 수: "))
b = int(input("두번째 수: "))
m, d = mul_div(a, b)          # 함수 호출
print("곱하기: %d  나누기: %.1f" % (m, d))
```

첫번째 수: 25
두번째 수: 12
곱하기: 300 나누기: 2.1

---

return문에 2개의 반환값, 두 수를 곱한 값과 두 수를 나눈 값을 콤마로 구분하여 나열한다. 그러면 함수를 호출한 곳으로 반환값이 각각 돌아오므로 m, d 변수로 돌아온 값을 대입하여 출력한다.

실습예제 8.5   매개변수 없고 return문이 2개인 함수

(요구조건)

1-100까지 정수에서 짝수의 합과 홀수의 합을 구하는 함수를 정의하고 호출하는 프로그램을 작성
하시오.

```python
# ex8-5.py
def sum_even_odd( ):
    even = 0
    odd = 0
    for n in range(1, 101):
        if n % 2 == 0:
            even = even + n
        else:
            odd = odd + n
    return even, odd

e, o = sum_even_odd()
print("1-100까지 짝수 합: ", e)
print("1-100까지 홀수 합: ", o)
```

```
1-100까지 짝수 합:2550
1-100까지 홀수 합:2500
```

매개변수 없이 sum_even_odd( )를 호출하면 반환값 even, odd가 리턴되므로 e, o 변
수에 각 값을 대입하여 1-100까지 짝수 합과 홀수 합을 각각 출력한다.

실습예제 8.6   매개변수와 return문이 있는 함수

요구조건

5명의 학생의 성적을 요소로 갖는 s_list가 있다. 리스트를 매개변수로 입력받아 평균을 반환하는 함수를 만들어 프로그램을 작성하시오.

```python
# ex8-6.py
def avg_list(s_list):                           # 함수 정의
    tot = 0
    avg = 0
    for n in s_list:
        tot = tot + n
    avg = tot / len(s_list)
    return avg

s_list = [80, 75, 92, 68, 85]
print("평균: %.2f" % avg_list(s_list) )         # 함수 호출
```

```
평균: 80.00
```

 실습예제 8.7   매개변수가 있고 return문이 없는 함수

요구조건

정수를 인자로 받아 홀수인지 짝수인지를 출력하는 함수를 작성해보자.

```python
# ex8-7.py
def even_odd(num):          # 함수 정의
    if num % 2 == 0:
        print("짝수입니다")
    else:
        print("홀수입니다")

n = int(input("정수: "))
even_odd(n)                 # 함수 호출
```

정수: 17
홀수입니다

변수 n에 정수를 입력받아 함수의 매개변수로 even_odd(n)으로 호출한다. 함수가 정의된 코드블록 내에 return이 없으므로 호출한 곳으로 값이 돌아오지 않고 함수 블록내에서 처리된다.

8.4　함수의 응용

함수는 한 프로그램 내에서 특정한 작업이 반복될 때, 매번 같은 코드를 반복해야 하는 번거로움을 줄이고 효율적인 프로그램을 작성하도록 한다. 반복되는 코드를 함수로 정의하고 작성하는 대신에 필요할 때마다 함수 호출을 통해 원하는 기능을 수행한다.

응용예제 8.8

요구조건

수학함수 $f(x) = 2x^2 + x + 1$ 을 정의하고 $f(3)$를 구하는 프로그램을 작성하시오.

```python
# ex8-8.py
def f(x):
    res = 2*(x*x) + x + 1
    return res
result = f(3)
print("f(3) =", result)
```

f(3)=22

주어진 요구대로 이차 함수 $f(x)$를 정의한다. $f(3)$으로 호출하면 res 값이 반환되고 result에 값이 할당되며 출력하면 결과를 확인할 수 있다.

 응용예제 8.9

요구조건

미터를 입력받아 cm, feet, yard로 변환하는 함수를 사용하는 프로그램을 작성하시오.

```python
# ex8-9.py
def unit_change(meter):
    cm = meter * 100
    yard = meter * 1.0936
    feet = meter / 0.305
    return cm, yard, feet

m = int(input("미터 : "))
c, y, f = unit_change(m)
print("%d 미터는 %d 센티미터, %.2f 야드  %.2f 피트입니다" % (m, c, y, f))
```

```
미터 : 30
30 미터는 3000 센티미터, 32.81 야드  98.36 피트입니다
```

사용자로부터 미터를 입력받아, 센티미터, 야드, 피트로 변환하는 함수를 정의한다. 변환된 각 단위의 값들을 반환하여 변수 c, y, f에 할당하여 출력한다.

응용예제 8.10

(요구조건)

초를 입력하면 몇 시, 몇 분, 몇 초인지를 계산해서 출력해주는 함수를 작성하시오. 입력한 초가 1일 (24시간)을 넘지 않아야 한다.

```python
# ex8-10.py
def auto_time(time):
    if time < 24*60*60:
        hour = time//(60*60)
        time = time - hour*60*60
        minute = time//60
        time = time - minute*60
        second = time
        print("%d시 %d분 %d초 입니다" % (hour, minute, second))
    else:
        print("입력 시간이 24시를 초과 합니다")

time = int(input("초(second) 입력: "))
auto_time(time)
```

```
초(second) 입력: 37658
10시 27분 38초
```

1일을 초과하지 않기 위해 조건 24*60*60을 확인한다. 1일은 24시간, 1시간은 60분, 1분은 60초이므로 시, 분, 초 단위를 계산한다. 몫을 구하기 위해 // 연산자를 사용한다. int( )로 강제형변환 하여 사용해도 된다.

 응용예제 8.11

(요구조건)

두 수를 입력받아 두 수의 합과 차를 리스트로 반환하는 함수로 작성하시오.

```python
# ex8-11.py
def oper(x, y):
    oplist = []
    op1 = x + y
    op2 = x - y
    oplist.append(op1)
    oplist.append(op2)
    return oplist


num1 = int(input("첫번째 수 : "))
num2 = int(input("두번째 수 : "))
reslist= oper(num1, num2)
print("두 수합: %d" % reslist[0])
print("두 수차: %d" % reslist[1])
```

```
첫번째 수 : 20
두번째 수 : 10
두 수합: 30
두 수차: 10
```

두 수의 합과 차를 구하는 함수 oper를 정의하고 매개변수 x, y를 둔다. 두 정수를 입력받아 oper(num1, num2)를 호출하면 num1은 x에, num2는 y에 복사된다. op1은 x와 y를 더한 값을, op2는 x와 y의 뺄셈 결과를 저장한다. 빈 리스트 oplist를 선언하고 append()를 사용하여 op1과 op2를 요소로 추가한다. 그리고 oplist를 반환하여 요소의 인덱스로 두 수의 연산 결과를 출력한다.

⚙️ **응용예제 8.12**

(요구조건)

두 수를 입력받아 더하기, 빼기, 곱하기, 나누기, 나머지를 한 번에 계산하는 함수를 작성하시오.

```python
# ex8-12.py
def calculator(n1, n2):
    if n1 < n2:
        n1, n2 = n2, n1
    return n1+n2, n1-n2, n1*n2, n1/n2, n1%n2

num1 = int(input("첫번째 수: "))
num2 = int(input("두번째 수: "))
a, b, c, d, e = calculator(num1, num2)
print("합: %d, 차: %d, 곱: %d, 제: %d 나머지: %d" % (a, b, c, d, e))
```

```
첫번째 수: 12
두번째 수: 25
합: 37, 차: 13, 곱: 300, 제: 2, 나머지: 1
```

함수의 반환값이 여러개일 때 처리하는 예제이다. 산술연산의 결과를 반환하면 콤마(,)로 구분된 반환의 개수만큼의 변수에 대입하고 출력한다.

⚙️ **응용예제 8.13**

점수를 입력받아 학점을 구하는 프로그램을 함수를 사용하여 작성하시오.

```python
# ex8-13.py
def grade(score):
    if score >= 90.0:
        return 'A'
    elif score >= 80.0:
        return 'B'
```

```
    elif score >= 70.0:
        return 'C'
    elif score >= 60.0:
        return 'D'
    else:
        return 'F'

score = eval(input("점수 입력 : "))
print("학점은 %c 입니다" % grade(score) )
```

```
점수 입력 : 82.3
학점은 B 입니다
```

grade( ) 함수는 점수 값에 따라 문자 값으로 학점을 반환한다. print문 안에서 grade( )
함수를 호출하고 반환값인 문자를 출력한다.

응용예제 8.14

(요구조건)

5번의 시험 점수로 이루어진 리스트가 있다. 시험 점수의 평균이 60점 이상일 경우 Pass, 60점 미
만일 경우 Fail이다. 점수 리스트가 주어질 때 평균 점수, 가장 높은 점수, Pass/Fail 여부를 출력해
주는 프로그램을 작성하시오.

```
# ex8-14.py
def avg(score):
    tot = 0
    for i in score:
        tot = tot + i
    return tot/len(score)

def pass_fail(score):
    if avg(score) >= 60:
        return 'PASS'
    else:
        return 'FAIL'
```

```
def max(score):
    max = 0
    for i in score:
        if i > max
        max = i
    return max

score = [80, 90, 70, 40, 60]
print("평균 점수: %.1f" % avg(score))
print("최대 점수: %d" % max(score))
print("합격 여부: %s" % pass_fail(score))
```

평균 점수: 68.0
최대 점수: 90
합격 여부: PASS

avg( ) 함수는 5개의 점수로 이루어진 score 리스트를 인자로 받아 평균 점수를 계산하고, pass_fail( ) 함수는 함수 내에서 avg( ) 함수를 호출하여 평균 점수를 반환받아 60 이상인지를 확인한다. 그리고 max( ) 함수는 score 리스트에서 가장 큰 값을 반환한다.

8.5 디폴트와 참조

8.5.1 매개변수 디폴트(초기) 값 지정

함수를 만들 때 매개변수에 디폴트 값을 지정해 둘 수 있다. 인자로 넘어 오는 값이 전달되지 않으면 디폴트 값으로 대신 전달되는 것이다.

```
>>> def student(name, class_num = 0):
    print("이름: ", name)
    print("학번: ", class_num)
↵
>>> student("홍길동")
이름: 홍길동
학번: 0
>>> student("홍길동", 20211234)
이름: 홍길동
학번: 20211234
```

student함수의 매개변수 class_num에 디폴트 값이 지정되면 위의 student("홍길동")
과 같이 이름 정보만 전달하면서 student 함수를 호출할 수 있다. name에는 "홍길동"
이 전달되며 class_num은 디폴트 값인 0을 갖게 되어 오류없이 출력할 수 있다. 그러
나 student(class_num = 0, name)와 같이 디폴트 값을 갖는 매개변수가 앞에 오게 되
면 에러가 발생한다. 디폴트 값을 갖는 매개변수와 디폴트값을 갖지 않은 매개변수가
함께 존재한다면 반드시 디폴트 값을 갖는 매개변수가 뒤에 와야 한다.

응용예제 8.15

요구조건

숫자 2개의 합과 숫자 3개의 합을 구하는 프로그램을 함수의 매개변수 디폴트 값을 사용하여 작성
하시오.

```
# ex8-15.py
def para_set(x, y, z=0):
    result = x + y +z
    return result

print("매개변수 2개인 함수 호출: %d" % para_set(10, 20))
print("매개변수 3개인 함수 호출: %d" % para_set(10, 20, 30))
```

```
매개변수 2개인 함수 호출: 30
매개변수 3개인 함수 호출: 60
```

리스트나 튜플, 문자열 등과 같이 시퀀스가 있는 자료형을 함수의 인자로 전달할 때 주의할 필요가 있다.

```
>>> def list_func(m):
    m[0] = 1
    m[-1] = 0
↵
>>> numlist = [50, 100, 150, 200]
>>> list_func(numlist)        # 함수 호출
>>> numlist
[1, 100, 150, 0]
```

list_func( ) 함수의 매개변수 m에 numlist가 갖고 있는 [50, 100, 150, 200]을 전달할 때, 파이썬은 매개변수를 위해 별도의 메모리 공간을 할당하지 않고 메모리 공간에 이름을 하나 더 붙이는 방식으로 '매개변수로 전달되는 값'을 처리한다. 즉 numlist와 m은 동일한 메모리 공간에 붙여진 이름인 것이다. 따라서 m을 수정하면 mylist에 담긴 리스트의 값도 실제로 바뀌게 되는 것이다.

8.5.2 매개변수 개수 미지정 (가변 매개변수)

매개변수에 개수에 상관없이 전달되는 모든 매개변수를 처리할 때 파이썬은 가변 매개변수(Arbitrary Argument List)를 지원한다. 함수의 매개변수명 앞에 *를 붙이는 방식으로 간단하다. *를 붙이면 매개변수가 튜플 형식으로 전달되어 함수 안에서 사용할 수 있다.

```
>>> def arg_func(*args):
    tot = 0
    for n in args:
        tot = tot + n
    return tot
↵
>>> hap = arg_func(1, 2, 3, 4, 5, 6, 7, 8, 9, 10)
>>> print(hap)
55
```

arg_func( ) 함수의 매개변수 *args는 10개의 전달인자를 튜플로 넘겨 받아 for문으로
요소를 하나씩 추출하여 tot에 누적하고 그 값을 반환한다.

연습문제

1. 다음 함수를 사용하여 5개의 점수로 이루어진 numlist를 인자로 받아 점수의 평균이 60점 이상이면 PASS, 그렇지 않으면 FAIL을 출력하는 프로그램을 작성하시오.

   [요구사항]　def calavg(numlist)

   　　　　　　def passFail(avg)

2. 10개의 수학 시험점수로 이루어진 math_list를 입력하여 가장 높은 점수를 구하는 프로그램을 작성하시오.

   [요구사항]　def max_score(math_list)

3. 섭씨를 화씨로 변환하는 함수와 화씨를 섭씨로 변환해주는 함수를 작성하여, 사용자의 선택사항에 따라 변환시켜 주는 프로그램을 작성하시오.

   [요구사항]　def Cel2Far(temp)

   　　　　　　def Far2Cel(temp)

   [입력사항]　**

   　　　　　　1. 섭씨를 화씨로　　　2. 화씨를 섭씨로

   　　　　　　**

   　　　　　　번호 선택 :

   　　　　　　온도 입력 :

4. 이메일에 사용하는 비밀번호를 입력받아 다음의 조건에 따른 안전성을 측정하는 프로그램을 함수로 작성하시오.

   [요구사항]　9이상 : Your Password Good

   　　　　　　9미만 5이상 : Your Password Normal

   　　　　　　5미만 : Your Password Bad

5. 국어, 영어, 수학점수를 입력받아 평균과 학점을 구하는 프로그램을 함수를 사용하여 작성하시오.

[요구사항]   def avg_score(kor, eng, mat)

　　　　　　　def grade(avg)

6. 사용자로부터 반지름을 입력받아 원의 면적을 구하는 프로그램을 주어진 함수를 사용하여 작성하시오.

[요구사항] def circle(rad)

7. 덧셈, 뺄셈, 곱셈, 나눗셈, 나머지를 계산하는 프로그램을 함수를 사용하여 작성하시오.

[요구사항]   ① 모든 함수는 결과를 반환한다.

　　　　　　② 뺄셈 함수의 경우 큰수에서 작은 수를 뺀다.

　　　　　　③ 두 정수의 입력값은 float형으로 받는다.

　　　　　　④ 무한루프이나 종료가 가능하도록 해야 한다.

[입력사항]   ************계산기 **

　　　　　　1. 덧셈　　　　2. 뺄셈　　　　3.곱셈　　　　4. 나눗셈　　　　5. 나머지　　　　6.종료

　　　　　　**

　　　　　　번호 선택:

　　　　　　첫번째 수:

　　　　　　두번째 수:

[출력사항]   결과:

8. 10명의 학생들의 점수를 scorelist에 입력받아 가장 낮은 점수, 높은 점수, 평균 점수를 구하는 프로그램을 함수를 사용하여 작성하시오.

   [요구사항] def min_max_func(scorelist)

                    def avg_score(scorelist)

   [입력사항] scorelist = [ ]

   [출력사항] 최저 점수: 최고 점수: 평균점수:

9. 주어진 데이터를 정렬하는 프로그램를 함수를 사용하여 작성하시오.

   [요구사항] numlist = [4, 8, 7,10, 5, 2, 9, 3, 6, 1]

                    def num_sort(numlist)

   [출력사항] [1, 2, 3, 4, 5, 6, 7, 8, 9, 10]

10. 영어 문장을 입력받아 문자열의 길이와 모음의 개수를 구하는 프로그램을 함수를 사용하여 작성하시오.

   [요구사항] def str_len(str)

                    def vow_cnt(str)

   [입력사항] 영어 문장 :

   [출력사항] 문자열 길이 :   모음의 개수:

파일

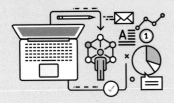

CONTENTS

9.1   파일이란?

지금까지 사용한 모든 데이터 출력 결과는 프로그램이 종료 되면 다시 활용 할 수 가 없다. 프로그램이 종료되더라도 저장한 결과 값을 영구적인 보관 방법으로 저장할 수 있는 파일의 사용법을 알아본다.

9.2   파일 사용법 3단계

파이썬에서는 '파일 열기 → 읽기/쓰기 → 파일 닫기' 3단계 순서대로 실행되어진다. 파일 실행 구조는 다음과 같은 순서이다.

```
>>>f=open('music.txt' , 'w')      #파일 열기
>>>f.rwrite('안녕하세요!')          #music.txt 파일에 문자쓰기
>>>f.close()                       #파일 닫기
```

표 9-1 모드의 종류와 의미

파일모드	기능	의미
r	read	파일에 저장된 데이터 읽기
w	write	지정된 파일에 데이터 쓰기
a	append	파일의 끝에 데이터 추가
t	text	default 값, 문자단위로 파일 처리
b	binary	이진 파일 형식으로 파일을 열거나 생성
+	r+ , w+, r+t	r+ 모드는 읽기 모드로 열어 쓰기 w+ 모드는 쓰기모드로 열어서 읽기 r+t 모드는 파일을 읽는 모드가 기본이고 텍스트 쓰기까지 가능 하지만 기본 모드가 읽기 이므로 파일이 없을 경우 오류 발생

(1) 파일 열기

파일 단계 중 제일 먼저 실행하는 순서로 파일 열기이다. open( )함수는 파일의 객체를 반환 하는 함수이다. 파일의 객체는 파일 입력과 출력을 수행하는 객체이며 이 기능을 실행하기 위한 다양한 메소드들이 있다.

```
file=open('c:\temp\music.txt' , 'w')        #파일을 쓰기 모드로 열기
```

open( ) 함수의 첫 번째 매개변수는 'c:\temp\music.txt' 라는 경로를 나타내고, 두 번째 인수는 'w'라는 모드를 사용하여 파일을 쓰기 모드로 실행한다는 것을 알수 있다.

```
file=open('c:\temp\music.txt' , 'r+w')        #텍스트 읽기 쓰기 모드
```

'r+w' 모드는 파일을 읽어오는 모드가 기본이며 '+t' 모드로 텍스트 쓰기까지 가능하지만 기본 모드가 읽기이므로 파일이 없으면 오류가 발생한다.

```
file=open('c:\temp\music.txt' , 'a')        #파일 끝에 추가
```

'a'모드는 파일의 끝에 데이터를 추가하거나 파일이 없는 경우 새로 생성 한다.

```
file=open('c:\temp\music.txt', 'a+t' )        #텍스트 추가
```

'a+t'모드는 파일의 모든 내용을 남겨두고 맨뒤에서 쓰게된다.

```
file=open('c:\temp\music.txt' , 'r')        #파일 읽기
```

'r' 모드는 'c:' 경로에 저장된 music.txt 파일을 읽는다.

(2) 파일 읽기/쓰기

파일 처리 3단계 중 두 번째 단계이다.

```
file.read()                    #파일 읽기
```

텍스트 파일을 읽을 때는 read( ) , readline( ), readlines( ) 메소드를 사용할 수 있다.

메소드	의미
read()	모든 내용이 들어간 문자열
readline()	현재 위치에서 한 줄 내용이 들어간 문자열
readlines()	현재 위치에서 마지막까지 한 줄씩 읽어서 리스트로 반환

```
>>>file=open('music.txt' , 'r')
>>>result=file.read()
>>>print(result)

Butterfly -방탄 소년단
Jung Kook)아무것도 생각하지마
넌 아무 말도 꺼내지도 마
 --중간 생략
Ji Min)Butterfly,like a butterfly
마치 Butterfly,bu butterfly처럼
Jin)Butterfly,like a butterfly
마치 Butterfly,bu butterfly처럼
```

파일을 열고 read( ) 메소드를 실행하면 'music.txt' 파일을 처음부터 마지막까지 출력한다.

```
>>>file=open('music.txt' , 'r')
>>>file.read()
Traceback (most recent call last):
  File "C:/Users/narimono/Downloads/sample.py", line 2, in <module>
    print(file.read())
UnicodeDecodeError: 'cp949' codec can't decode byte 0xec in position 18: illegal
multibyte sequence
```

텍스트 파일을 읽을 때 UnicodeDecodeError가 출력된다면 다음처럼 옵션을 바꿔줘야
한다. 메모장에서 파일을 읽을 때 한글윈도우 기본으로 사용하는 아스키코드 기반 인
코딩 방식으로 파일을 읽으려하기 때문에 발생한 오류이다.

이런 경우 인코딩 옵션 encoding='utf-8'을 추가하거나 메모장을 저장할 때 [그림
9-1]처럼 바꿔주면 정상적으로 출력된다.

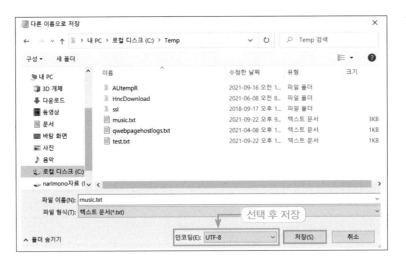

그림 9.1   메모장 저장 창에서 인코딩 변경

```
>>>file=open('c:\Temp\music.txt' , 'r' ,encoding='utf-8')
>>>s=file.read()
>>>print(s)
>>>file.close()

Butterfly -방탄 소년단
Jung Kook)아무것도 생각하지마
넌 아무 말도 꺼내지도 마
--중간 생략
Ji Min)Butterfly,like a butterfly
마치 Butterfly,bu butterfly처럼
Jin)Butterfly,like a butterfly
마치 Butterfly,bu butterfly처럼
```

파일 쓰기 사용법은 다음과 같다.

```
file.write('방탄 소년단 노래입니다.')     #'music.txt'에 이 문장을 작성한다.
```

'방탄 소년단 노래입니다; 라는 문장이 'music.txt'에 작성된다.

(3) 파일 닫기
파일 처리 3단계 중 마지막 단계이다.

```
file.close()                 #파일 객체 종료하기
```

close( )함수를 사용하여 모든 파일 객체를 종료한다.

실습예제 9.1

(요구조건)

메모장에 '학과, 학번, 이름'을 작성하고 'test.txt'로 저장하고 파일 열기, 읽기, 닫기순으로 프로
그램을 작성하시오.

```
#ex9-1.py

file=open('c:₩temp₩test.txt' , 'r' , encoding='utf-8' )
st=file.read()
print('출력결과:' , st)
file.close()
```

> 'test.txt'
> 출력결과: 컴퓨터통계학과 20221004 홍길동

 실습예제 9.2

(요구조건)

다음과 같은 내용이 저장되어있는 'jumsu.txt'파일을 write()함수를 사용하여 작성하는 프로그
램을 작성하시오.

```
#ex9-2.py

file= open('c:₩temp₩jumsu.txt','w')
file.write('100점'\n)
file.write('99점'\n)
file.write('66점'\n)
file.write('90점'\n)
file.close()
```

```
'jumsu.txt'
100점
99점
60점
90점
```

실습예제 9.3

요구조건

다음과 같은 내용이 저장되어있는 'bts.txt'파일을 write()함수를 사용하여 작성하는 프로그램을 작성하시오.

```
Butterfly -방탄 소년단

Jung Kook)아무것도 생각하지마
넌 아무 말도 꺼내지도 마
그냥 내게 웃어줘yeah
V)난 아직도 믿기지가 않아
이 모든 게 다 꿈인 것 같아
```

```
#ex9-3.py

file= open('c:\temp\bts.txt','w')
file.write('Butterfly -방탄 소년단')
file.write('Jung Kook)아무것도 생각하지마')
file.write('넌 아무 말도 꺼내지도 마')
file.write('그냥 내게 웃어줘yeah')
file.write('V)난 아직도 믿기지가 않아')
file.write('이 모든 게 다 꿈인 것 같아')
file.close()
```

 **실습예제 9.4**

(요구조건)

실습예제9-3에서 작성한 'bts.txt' 파일에서 3개의 문자만 출력하는 프로그램을 작성하시오.

```
#ex9-4.py

file=open('c:\temp\bts.txt','r' )
st=file.read(3)
print('출력결과 :' , st)
file.close()
```

```
'bts.txt'
출력결과 : But
```

 **실습예제 9.5**

(요구조건)

readline()메소드를 이용하여 'major.txt' 파일의 3줄만 읽어보는 프로그램을 작성하시오.

```
저장된 'major.txt' 파일 내용

자연과학계열 학과
컴퓨터통계학과
수학과
물리학과
식품영양학과
```

```
#ex9-5.py

file=open('c:\temp\major.txt','r' )
st=file.readline()
print('첫 줄=', st)
st=file.readline()
print('두번째 줄=',st )
st=file.readline()
print('세번째 줄=',st )
file.close()
```

```
'major.txt'
첫 줄= 자연과학계열 학과

두번째 줄= 컴퓨터통계학과

세번째 줄= 수학과
```

 실습예제 9.6

(요구조건)

실습예제 9-5 실습 파일 'major.txt' 에 '사범대학 계열, 수학교육과, 과학교육과' 3줄을 추가하는 프로그램을 작성하시오.

```
#ex9-6.py

file=open('c:\temp\major.txt', 'a+' )
file.write('★사범대학계열')
file.write('수학교육과')
file.write('과학교육과')
file.close()
```

```
'major.txt'
자연과학계열 학과
컴퓨터통계학과
수학과
물리학과
식품영양학과
★사범대학계열
수학교육과
과학교육과
```

실습예제 9.7

(요구조건)

정보처리 기사 자격증을 과목을 입력받아 'test.txt' 파일로 저장하는 프로그램을 작성하시오.

[입력사항]

```
정보처리기사 과목을 입력:소프트웨어 설계

정보처리기사 과목을 입력:소프트웨어 개발

정보처리기사 과목을 입력:데이터베이스구축

정보처리기사 과목을 입력:프로그래밍언어활용

정보처리기사 과목을 입력:정보시스템구축관리
```

```
#ex9-7.py

file=open('c:\temp\test.txt','w' )
test1=input('정보처리기사 과목을 입력:')
file.write(test1)
file.write(' ')

test2=input('정보처리기사 과목을 입력:')
file.write(test2)
file.write(' ')

test3=input('정보처리기사 과목을 입력:')
file.write(test3)
file.write(' ')

test4=input('정보처리기사 과목을 입력:')
file.write(test4)
file.write(' ')

test5=input('정보처리기사 과목을 입력:')
file.write(test5)
file.write(' ')

file.close()
```

test.txt
소프트웨어 설계
소프트웨어 개발
데이터베이스구축
프로그래밍언어활용
정보시스템구축관리

1. 일기장을 작성하려는 예제이다. 다음과 같은 내용이 기록되도록 'ans1.txt' 파일에 작성하는 프로그램을 작성하시오.

[요구사항]

> 'ans1.txt' 파일내용
>
> 2022년 5월6일 오늘의 일기
> 날씨: 맑음
> 안녕 오늘은 화학실험을 하는 날이야!

2. 문제1번 파일에 다음의 내용을 아래쪽에 추가 한 후 출력하는 프로그램을 작성하시오.

[요구사항]   추가 내용 : '화학 실험 끝나고 짜장면을 맛있게 먹었다. '

> 추가 후 저장된 'ans1.txt' 파일 내용
>
> 2022년 5월6일 오늘의 일기
> 날씨: 맑음
> 안녕 오늘은 화학실험을 하는 날이야!
> 화학 실험 끝나고 짜장면을 맛있게 먹었다.

3. 과학 실험 도구가 저장되어있는 파일 이름은 'ans3.txt'에 저장되어있다. 파일을 읽어들인 다음 사용자로부터 출력 라인을 입력 받아 n번지 줄까지 화면에 출력하는 프로그램을 작성하시오.

[요구사항]   for - in 반복문 사용

[입력사항]   몇 번째 라인까지 출력하시겠습니까?2

> 몇 번째 라인까지 출력하시겠습니까?2
>
> 출력결과: 스포이드
> 출력결과: ABS시험관대

4. 생물학 실험을 하기위해 수분측정기, 워터테스트기, 현미경을 수입하고자 한다. 관세는 5%이며 세금을 포함 최종 지불해야하는 금액은 얼마인지 출력하는 프로그램을 작성하시오.

[요구사항] 기기 금액이 저장되어있는 파일:'ans4.txt'

세금이 포함되어있는 계산되어있는 최종 파일 :'ans4-1.txt'를 출력

ans4.txt	result4.txt
5000	5250.0
1000	1050.0
5500	5775.0

5. 생물학 실험을 하기위해 수분측정기, 워터테스트기, 현미경을 수입하고자 한다. 관세는 5%이며 세금을 포함 최종 지불해야하는 금액이 있다. 이 두 파일을 병합하여 한꺼번에 출력하는 프로그램을 작성하시오.

[요구사항] 기기 금액이 저장되어있는 파일:'ans5.txt'

세금이 포함되어있는 계산되어있는 최종 파일 :'ans5-1.txt'를 출력

병합 후 함께 출력되는 최종 파일:'merge.txt'

```
5000원 관세 계산 후  최종 가격: 5250.0원
1000원 관세 계산 후  최종 가격: 1050.0원
5500원 관세 계산 후  최종 가격: 5775.0원
```

터틀 그래픽

CONTENTS

10.1 모듈

모듈(Module)은 파이썬 코드를 논리적으로 묶어서 관리하고 사용할 수 있도록 하는 것이다. 모듈 안에는 함수, 변수, 또는 클래스 등이 있으며, 실행할 수 있는 코드도 포함한다. 이러한 모듈을 사용하기 위해서 import문을 작성하는데 형식은 다음과 같다.

```
import 모듈명
```

예를 들어 터틀 그래픽 모듈인 turtle을 가져올 때나 시간과 관련 있는 time 모듈, 난수 발생 random 모듈을 가져와서 사용하고 자 할 때 import 구문을 코드의 맨 위에 작성한다.

```
import turtle
import time
import random
```

'import turtle'라고 입력한 후, turtle 모듈이 제공하는 여러 기능을 사용할 있게 되는데, turtle 모듈은 그래픽을 지원하는 여러 변수와 함수들로 구성되어 있다. 이 중 하나의 함수만을 불러 사용하기 위해서는 'from 모듈 import 함수명'으로 표현한다. 여러 함수를 가져와서 사용하고자 할 때는 가져오고자 하는 함수명을 열거한다. 해당 모듈에 속한 모든 함수를 가져오기 위해서는 함수명 대신 '*'를 사용한다.

```
from 모듈 import 함수명 (함수명1, 함수명2, …)
from 모듈 import *
```

현재 날짜를 표시하기 위해 time 모듈을 import 한 예제이다. time 모듈에는 날짜를 원하는 형식에 맞게 출력하는 strftime라는 함수가 있다. 'import time'으로 strftime()를 사용할 경우는 time.strftime()의 형식으로 사용해야 하지만 'from time import strftime'으로 함수를 사용할 경우 모듈명을 작성하지 않고 직접 함수명만으로 사용할 수 있다.

```
>>> import time
>>> from time import strftime

>>> print(time.strftime("%Y/%m/%d"))
2021/10/15
>>> print(strftime("%Y-%m-%d"))
2021-10-15
```

strftime( ) 함수의 인자 %Y와 %y는 연도 표시를 나타내며 대문자 'Y'는 4자리 연도 (2021), 소문자 'y'는 2자리(21)년도를 표시한다. %m은 월(month)을, %d는 일(day)을 표시한다.

그리고 모듈을 가져올 때 모듈명이 너무 길어서 짧게 줄여 사용하기 위해 as 구문을 사용한다.

```
import 모듈명 as 사용 식별자
```

10.2 모듈 활용

10.2.1 turtle 모듈

다음은 정사각형을 그리는 프로그램이다. 정사각형은 4변의 길이와 4각을 가지고 있다. 터틀 모듈(turtle module)을 활용하여 윈도우창에 그려보자.

```
>>> import turtle as t
>>> t.forward(100)
>>> t.left(90)
>>> t.forward(100)
>>> t.left(90)
>>> t.forward(100)
>>> t.left(90)
>>> t.forward(100)
>>> t.left(90)
```

turtle 모듈을 읽어 들여 t라는 이름으로 사용한다. turtle.forward(100) 대신에 t.forward(100)과 같이 사용한다.

- t.forward(100) : 100만큼 앞으로 움직이기
- t.left(90) : 왼쪽 방향으로 90도 회전하기

t.forward(100)는 그래픽 커서인 터틀을 100픽셀만큼 앞으로 이동시키면서 직선을 그린다. t.left(90)는 터틀의 각도를 왼쪽으로 90도 회전시킨다. 4번의 이동과 회전으로 한 변의 길이가 100인 정사각형을 그리게 된다.

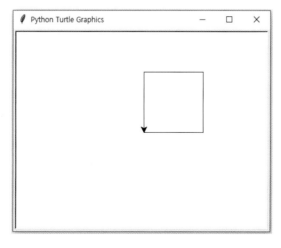

그림 10.1   정사각형 그리기

그래픽 윈도우에 6각형을 그리는 프로그램은 6번의 이동과 회전(60도)으로 그릴 수 있다.

```
>>> import turtle as t
>>> t.forward(100)
>>> t.right(60)
>>> t.forward(100)
>>> t.right(60)
>>> t.forward(100)
>>> t.right(60)
>>> t.forward(100)
>>> t.right(60)
>>> t.forward(100)
>>> t.right(60)
>>> t.forward(100)
```

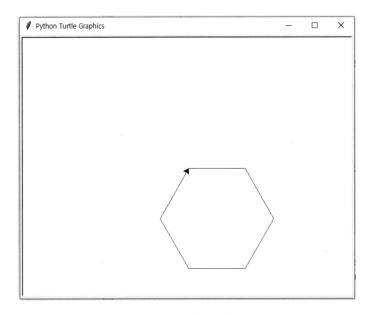

그림 10.2 6각형 그리기

예제를 통해 알 수 있듯이 다각형을 그리기 위해 n번 앞으로 이동하고, 오른쪽 또는 왼쪽으로 (360/n)도 만큼씩 회전한다.

- t.right(60) : 오른쪽 방향으로 60도 회전하기

응용예제 10.1

요구조건

한 변을 처리하는 코드이다. 4번 반복하여 위의 결과와 같이 모서리 없는 사각형을 완성하시오. 에디터로 작성하여 ex10-1.py로 저장한 후 단축키 Ctrl + S → F5 로 실행한다.

```python
# ex10-1.py
import turtle as t

t.forward(100)
t.left(45)
t.up()
t.forward(100)
t.down()
t.left(45)
```

- t.up( ) : 펜 올리기
- t.down( ) : 펜 내리기

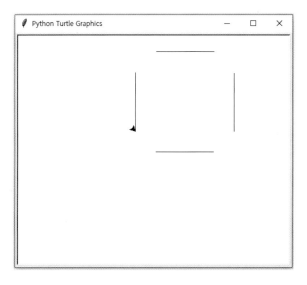

그림 10.3   모서리 없는 사각형

터틀 그래픽으로 다음과 같이 모서리가 없는 사각형을 그리려고 할 때 한 변을 처리하는 코드를 작성한 후, 4번 반복하면 그릴 수 있다.

터틀 그래픽에서 도형은 이동과 회전, 펜 올림과 펜내림 등 문장의 반복으로 코드의 길이가 길어진다. 반복문 (for, while)을 사용하여 간결하게 코드를 작성할 수 있다.

한 변의 길이가 100 픽셀인 정사각형을 그리는 위의 예제 코드를 반복문을 사용하여 작성하면 다음과 같다. 코드의 길이를 간결하게 할 수 있다.

```
>>> import turtle as t
>>> for x in range(4):
        t.forward(100)
        t.left(90)
```

for 반복문을 사용하여 range(4)에 지정한 횟수만큼 반복하여 이동과 회전으로 사각형을 그린다.

응용예제 10.2

원하는 n각형의 수를 입력받아 다각형을 그리는 프로그램을 작성하시오.
- n이 3이면 삼각형, n이 12면 12각형을 그린다.

```
# ex10-2.py
import turtle as t

n = int(t.textinput("도형그리기", "원하는 다각형의 숫자 입력"))

for x in range(n):
    t.forward(100)
    t.left(360/n)
```

먼저 원하는 도형을 숫자로 입력한다. t.textinput( )는 입력상자로 문자열을 입력받는 함수이므로 숫자로 입력받기 위해 int( )로 형변환을 해준다. t.tcxtinput( )은 2개의 문자열 인자(arguments)가 있는데 첫번째 문자열은 입력상자의 타이틀 바에 들어가고, 두번째 문자열은 내용창에 작성된다.

- t.textinput('title', 'content') : 문자열을 텍스트 입력 상자에서 입력받기

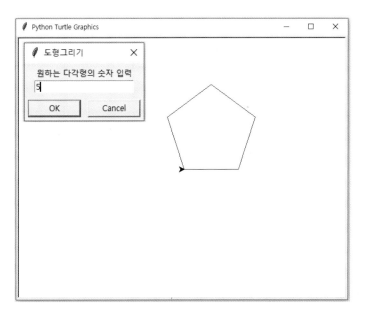

그림 10.4   텍스트 입력 상자

다음은 사각형의 길이를 1만큼 증가하면서 반복하여 그리는 프로그램이다.

```
>>> import turtle as t
>>> for x in range(100):
        t.forward(x)
        t.left(90)
```

반복문 for는 range에 지정한 횟수만큼 반복하므로 여기서는 0부터 99까지의 범위로 반복한다. 반복 횟수로 100번 처리를 하는데, 반복을 실행할 때마다 숫자가 하나씩 증가하며 이 숫자는 변수 x에 저장된다. x는 0부터 시작하여 다음 반복 시에는 1, 그 다음 반복 시에는 2가 저장되어 99까지 증가한다. 따라서 반복 블록 내의 t.forward(x)는 x 값만큼 이동하므로 0 길이만큼 이동하고 t.left(90)은 왼쪽으로 90도 회전하고, x가 1

증가하여 1의 길이만큼 그리고 왼쪽으로 90도 회전하는 등 반복의 범위를 만족할 때까지 계속된다.

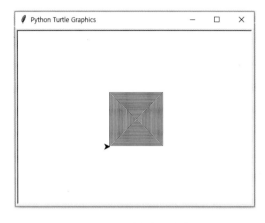

그림 10.5   회전하는 사각형

[그림 10-5]를 변형하여 회전하는 각도의 변화로 휘어져 올라가는 나선형 계단 모양을 만들 수 있다. 사각형을 왼쪽으로 91도씩 반복 회전하게 되면 매 반복마다 1도씩 더 기울어지므로 나선형 모양을 그리게 된다.

```
>>> import turtle as t
>>> for x in range(100):
        t.forward(x)
        t.left(91)
```

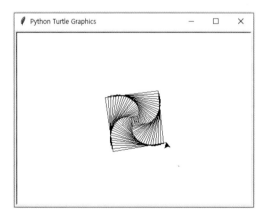

그림 10.6   회전하는 사각형

그리고 펜 색의 변화를 주어 컬러로 다양한 도형을 그릴 수 있다.

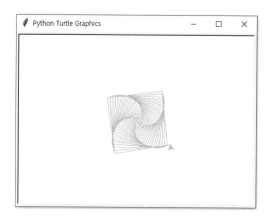

그림 10.7   나선형 사각형

- t.color("skyblue") : 그래픽 커서와 펜 색상을 지정된 컬러로 바꾸기
- t.pencolor("skyblue") : 펜 색상을 지정된 컬러로 바꾸기, 커서 색상은 바뀌지 않음

터틀 그래픽의 기본 색상(검정색)이 아닌 다른 색으로 그리고자 할 때 t.color( )를 사용한다. 색상명을 영어로 넣으면 컬러로 그래픽 커서와 펜 색상이 모두 바뀌게 된다. "red", "blue", "green", "gray", "orange", "purple" … 등 다른 색으로 바꾼 후 프로그램을 실행해 본다.

색상명 대신에 RGB의 정규화(0~1) 값으로 색상을 표시할 수도 있다. 각 색상이 가질 수 있는 범위 0~255값을 0~1사이의 값으로 치환하여 대입하면 더 정교한 색상을 표현할 수 있다.

터틀 그래픽은 직선으로 된 도형 외에 다양한 도형을 그릴 수 있다. 원의 크기 반지름 등을 지정해서 원 모양을 그릴 수 있는데, t.forward( ) 대신에 t.circle( )로 바꾼다.

t.circle(100)은 100을 반지름으로 하는 원을 그린다. 네 개의 원을 회전하면서 그리고자 할 때, 원을 네 번 반복적으로 그려야 하므로 for문과 range(4)를 사용하여 그릴 수 있다.

```
>>> import turtle as t
>>> for x in range(4):
        t.circle(100)
        t.left(90)
```

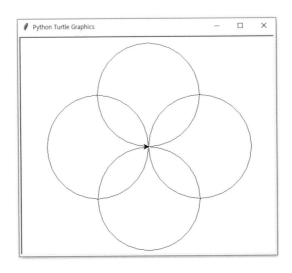

그림 10.8   4개의 원

응용예제 10.3

요구조건

색상 리스트를 만들어서 나선형 원을 그리려고 한다. 100번 반복할 동안 주어진 4가지 색으로 네 개의 원을 그리는 프로그램을 완성하시오.

```
# ex10-3.py
import turtle as t

t.speed(0)
t.shape("turtle")

col_list = ["red", "yellow", "blue", "green"]

for x in range(100):
    t.color(col_list[x%4] )
    t.circle(x)
    t.left(91)
```

- t.speed(0) : 거북이가 움직이는 속도 0이 가장 빠름, 1이 가장 느림
- t.shape("turtle") : 그래픽 커서의 모양을 거북이 모양으로 바꿈
- -:arrow/triangle/circle : −화살표/삼각형/원형 모양으로 바꿈

여러 가지 색을 사용하기 위해 리스트를 만들고 리스트의 인덱스를 이용하여 칼라를 적용한다. t.color("색상명")의 형식으로 색상에 대한 문자열을 필요로 하므로 리스트의 요소를 "red" 등과 같이 문자열을 사용하고 있음에 주의한다.

for 반복문 안에 t.color( )가 위치함으로써 반복 처리가 증가할 때마다 펜 색상이 변경되도록 할 수 있다. t.color(col_list[0])는 t.color("red")와 같으므로 col_list[x%4]는 x 값이 0부터 99까지 1씩 증가하면서 반복할 때마다 4로 나눈 나머지(0, 1, 2, 3) 값 중 하나를 가지므로 col_list에 있는 문자열의 색상으로 바뀌게 된다.

```
t.color(col_list[0])          t.color("red")
t.color(col_list[1])          t.color("yellow")
t.color(col_list[2])          t.color("blue")
t.color(col_list[3])          t.color("green")
```

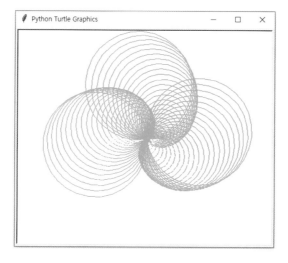

그림 10.9   다양한 색상의 타원

응용예제 10.4

⟨ 요구조건 ⟩

사용자에게 원의 개수를 입력받아 반복해서 그리는 프로그램을 작성하시오.

```
# ex10-4.py
import turtle as t

t.speed(0)
num_circle = int(t.textinput("원의 꽃", "몇 개의 원을 그릴까요?"))
for x in range(num_circle):
    t.circle(100)
    t.left(360/num_circle)
```

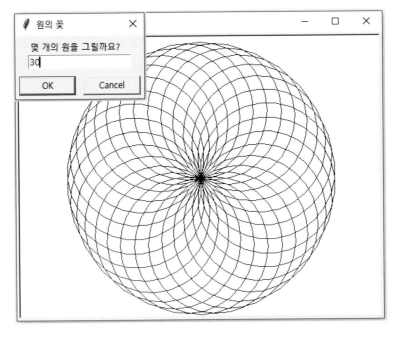

그림 10.10   원의 꽃

코드를 조금 수정해서 펜 색상을 입히고 반대 방향으로 회전하는 작은 원을 추가하여 화려한 색감의 원을 만들어 보자.

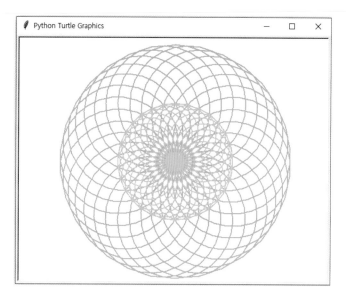

그림 10.11 원으로 그려낸 문양

```
# ex10-4.py 응용
import turtle as t

t.speed(0)
t.width(2)
num_circle = 30

for x in range(num_circle):
    t.color(0, 0.5, 0.8)        # RGB 0-1 사이의 범위로 색상 지정
    t.circle(100)
    t.left(360/num_circle)

for x in range(num_circle):
    t.color("skyblue")
    t.circle(50)
    t.right(360/num_circle)
```

터틀 모듈을 사용하여 다각형 외에 좀 더 복잡한 도형들을 그릴 수 있다. 이동 길이와 회전 각도를 고려하면서 반복문과 조건문 그리고 연산자 등을 사용하면 간결한 코딩으로 구현할 수 있다.

기본 도형을 그리는데 사용한 코드를 응용해서 다양한 형태의 별을 그릴 수 있다. range( )의 범위와 left( )의 회전의 수치값에 변화를 주어 두 개의 별을 그려본다.

```
>>> import turtle as t
>>> t.reset()
>>> for x in range(8):
        t.forward(100)
        t.left(225)
>>> t.up()
>>> t.goto(-150, 0)
>>> t.down()
>>> for x in range(8):
        t.forward(100)
        t.left(225)
```

- t.reset( ) : 캔버스 초기화, 터틀 그래픽을 새로 생성함

- t.goto(-150, 0) : 커서를 지정한 좌표로 이동함

range(9)는 8회를 반복하면서 왼쪽으로 225도 회전하면서 100픽셀을 이동한다.

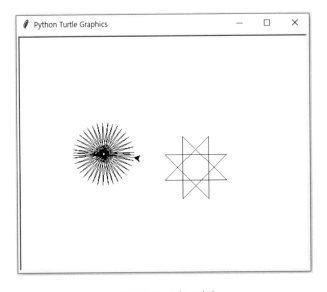

그림 10.12   별 그리기

회전각도와 반복의 횟수에 변화시켜 보다 다양한 형태의 별을 그릴 수 있다. 반복문을 사용하여 명령문을 간결하게 만들고, 방향 전환을 규칙적으로 번갈아 할 경우 조건문으로 해결한다.

```
>>> import turtle as t
>>> t.reset()
>>> for x in range(18):
        t.forward(100)
        if x % 2 != 0:
            t.left(175)
        else:
            t.left(225)
```

한 변의 길이는 100픽셀로 같지만 교차로 다른 각도로 회전하기 위해 if else문을 사용한다. 18번의 반복 동안에 x를 2로 나눈 나머지가 0가 같지 않으면 왼쪽으로 175도를 회전하고, 그렇지 않으면 왼쪽으로 225도 회전하면서 그리게 된다. 조건을 바꾸어도 상관없으나 그리기 시작하는 방향과 그린 후의 터틀의 위치를 고려하여 작성한 것이다.

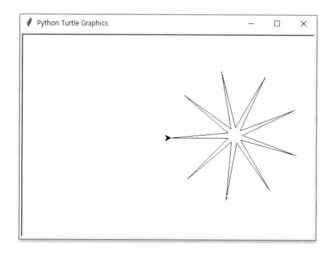

그림 10.13   큰별 그리기

다각형 도형을 그리고 색을 채우는 프로그램을 작성하면 다음과 같다.

```
>>> import turtle as t
>>> t.fillcolor(1, 0.85, 0)   # RGB 0-1 사이의 범위로 색상 지정
>>> t.begin_fill()
>>> for x in range(8):
        t.forward(50)
        t.left(45)
>>> t.end_fill()
```

- t.fillcolor("red") : 도형 내부를 칠하는 색상 지정
- t.begin_fill( ) : 색상을 넣을 도형 그리기
- t.end_fill( ) : 그려진 도형에 색상 채우기

도형에 색상을 채우기 위해서 먼저 t.fillcolor("yellow") 또는 t.fillcolor(1, 1, 0)과 같이 색상을 지정한다. 그리고 도형을 그리기에 앞서 t.begin_fill( )을 선언하고, 도형을 그리는 코드를 작성하고 마지막으로 t.end_fill( )을 작성해 줘야 색이 채워진 도형이 된다.

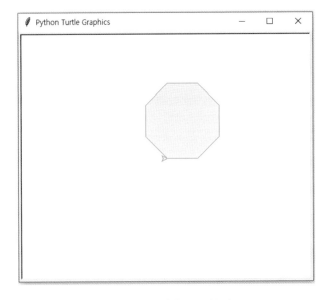

그림 10.14 색상으로 채우기

 **응용예제 10.5**

(요구조건)

원하는 다각형의 번호를 선택하고, 선택된 다각형의 색상을 채우는 프로그램을 작성하시오.

```python
# ex10-6.py
import turtle as t

n = int(t.textinput("도형채우기", '''*****************************
1. 삼각형 2. 사각형 3. 원
*****************************'''))
t.fillcolor(0.8, 0, 0.8)
t.begin_fill()
if n ==1:
    for x in range(3):
        t.forward(100)
        t.left(120)
elif n==2:
    for x in range(4):
        t.forward(100)
        t.left(90)
elif n==3:
    t.circle(50)
else:
    t.write("잘못 입력하셨습니다!", font = ("맑은 고딕", 18, "bold"))
t.end_fill()
```

- t.write(문자열, font 정보) :화면에 출력할 문자열과 글씨체, 크기, 굵기 등

주어진 문제와 같이 선택 메뉴를 작성할 때 텍스트 입력상자를 사용한다. t.textinput( ) 의 인자가 문자열 타입을 가지므로 문자열의 따옴표 세 개를 사용하여 3줄에 해당하는 메뉴를 작성한다.

다중 조건 처리를 위해 if elif else문을 사용하며, else문에는 1–3번 외의 번호가 입력 되면 t.write( )로 화면에 "잘못 입력하셨습니다" 와 같은 글씨를 출력하도록 한다.

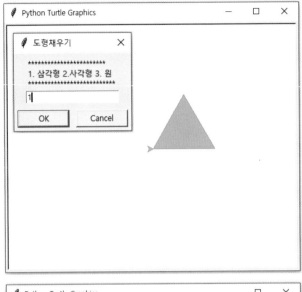

그림 10.15   다중 선택에 의한 도형 색 채우기

 응용예제 10.6

(요구조건)

평문을 입력받아 암호문을 그래픽 화면에 출력하는 프로그램을 작성하시오.
- 영어 문장을 입력한다.

```
# ex10-7.py
import turtle as t

msg = t.textinput("암호화/복호화", "암호화/복호화 할 메시지 입력")
msg = msg.upper()
out = ""
for letter in msg:
        if letter.isupper():
                val = ord(letter) + 13
                letter = chr(val)
                if not letter.isupper():
                        val = val - 26
                        letter = chr(val)
        out = out + letter
t.write(out, font=("Arial", 14, "bold"))
```

ord( )은 문자열을 아스키코드값으로 반환하는 함수고, chr( )은 아스키코드값에 대응되는 문자열을 반환하는 함수이다.

* isupper() : 소문자를 대문자로 변환하는 함수
* ord('a') : 문자에 해당하는 아스키코드를 숫자로 변환
* chr(97) : 아스키코드 숫자에 대응되는 문자로 변환

텍스트 입력 상자에 평문을 입력받아 대문자로 변경한 후, for 반복문으로 한자씩 대응되는 아스키코드값 + 13으로 연산한다. 이렇게 연산된 값을 다시 chr( )을 사용하여 대응되는 문자로 변환한다. 만약에 변환한 값이 대문자가 아니라면 val-26을 함으로써 원 상태로 되돌린다. 변환한 문자열을 출력할 문자열 out에 추가하고 전체 문자를 출력한다. 암호문 또한 같은 계산식에 의해 평문으로 출력할 수 있다.

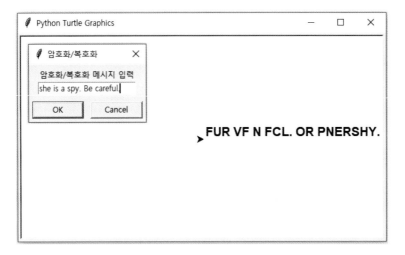

(a) 암호화

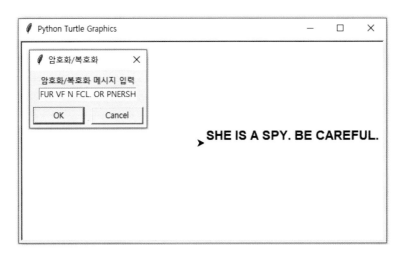

(b) 복호화

그림 10.16   암호화/복호화

10.2.2 random 모듈

random 모듈은 임의의 수(난수)를 생성하기 위해 쓰이며 import random as r 이라고
작성한 후 사용한다. 리스트에 여러 색상을 넣은 후 무작위로 색상을 선택하도록 작성
해보자.

```
>>> import random as r
>>> col_list = ["red", "yellow", "blue", "green", "purple", "white", "orange", "gray"]
>>> r.choice(col_list)
'gray'
>>> r.choice(col_list)
'blue'
```

- r.choice(리스트) : 리스트 안에 있는 요소를 무작위로 선택해서 반환

col_list에 색상 목록을 작성하고 r.choice( ) 인자로 사용하면 리스트 목록에 있는 무작위 색을 선택하여 보여준다. 처음에는 'gray'색이 표시되고 그 다음에는 'blue'가 표시되었다. 따라서 임의의 색상값을 얻어 펜 색상을 지정하거나 채우기 색상을 지정할 수 있다.

10.2.3 함수와 그래픽

함수는 코드들을 기능 단위로 묶어 재사용할 수 있게 만든 것으로 내부함수, 외부함수, 사용자정의 함수 등이 있다. 함수는 필요할 때마다 함수 이름을 호출하여 사용할 수 있다.

```
import turtle as t
# 함수 정의
def octagon(size, fill):
    if fill == True:
        t.begin_fill()
    for x in range(8):
        t.forward(size)
        t.right(45)
    if fill == True:
        t.end_fill()
t.fillcolor("yellow")
octagon(50, True)        # 함수 호출
```

여러 명령 문장들이 하나의 기능을 수행하도록 함수를 만들고, 필요한 때에 함수를 호출한다. 위의 코드는 8각형을 그리기 위한 함수 octagon( )을 정의하고 색상을 채운 도형을 그릴 것인지, 아닌지 아래의 함수 호출 시 전달되는 인자를 받아 처리한다. octagon(50, True)로 함수를 호출하면 함수가 정의된 곳에서 size는 50을 받아 저장하고, fill은 True를 저장한다. 그리고 fill의 값을 조건으로 True면 t.begin_fill( )과 t.end_fill( )이 실행된다. 만약 False 값이 인자로 전달되었다면 fill의 값은 False이므로 색상이 채워지지 않은 8각형이 윈도창에 그려진다.

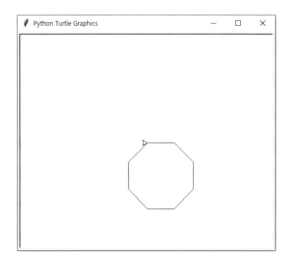

그림 10.17   함수를 사용하여 8각형 그리기

다음은 함수를 사용하여 사각형을 그린 예제이다. 길이를 인자로 전달하여 길이만큼 선을 그어 사각형을 그리게 된다.

```
>>> import turtle as t
>>> def rectangle(length):
        for x in range(4):
            t.forward(length)
            t.left(90)
↵
>>> rectangle(100)
```

명령 문장이 계속 반복될 때 함수로 작성하면 편리하다. 함수 내에 반복문과 조건문 등을 사용하여 간결하게 작성한 후, 함수 이름으로 만들어 놓은 함수를 사용하면 된다.

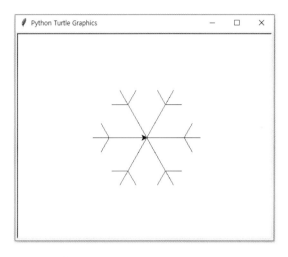

그림 10.18　함수를 사용하여 눈모양 그리기

그림 10-20은 눈 모양을 나타낸 것으로 하나의 패턴이 반복되고 있다. 반복되는 패턴이 존재하면 하나의 패턴을 함수로 만들고 n번 함수를 호출하여 모양을 완성할 수 있다.

```
>>> import turtle as t
>>> t.reset()
>>>def snow_shape():
        t.forward(100)
        t.forward(-30)
        t.left(60)
        t.forward(30)
        t.forward(-30)
        t.right(120)
        t.forward(30)
        t.forward(-30)
for x in range(1, 7):
        snow_shape()
        t.setpos(0, 0)
        t.setheading(0)
        t.left(60*x)
```

- t.setheading(0) : 커서가 특정 방향을 향하도록 함

```
>>> import turtle as t
>>> t.reset()
>>> def draw_poly(size, points):
        angle = 360 / points
        for x in range(points):
            t.forward(size)
            t.left(180 - angle)
            t.forward(size)
            t.right(180-(angle *2))
>>> draw_poly(80, 70)                # 함수 호출
```

t.left( )와 t.right( )는 왼쪽 회전 각도와 오른쪽 회전 각도로 번갈아 가며 직선을 그리는 작업을 draw_poly( )함수로 만들고, draw(80, 70)으로 함수를 호출한다. 함수가 정의된 곳의 (매개)변수 size는 80을 받아 저장하고, points는 70을 받아 저장한다. 그리고 변수 angle에 360/points로 몇 도씩 회전할 것인지 정한다.

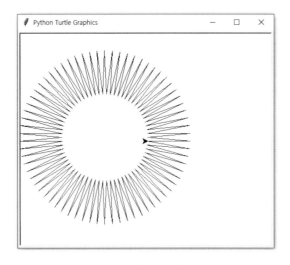

그림 10.19   함수로 도형 그리기

![응용예제 10.7]

요구조건

tkinter 모듈을 import하여 캔버스를 생성하고 무작위적인 삼각형을 그리는 프로그램을 작성하시오.
- 삼각형의 꼭지점이 임의의 좌표를 갖는다.

```
# ex10-9.py
from tkinter import *
import random as r

w = 400
h = 400
tk = Tk()
canvas = Canvas(tk, width=w, height=h)
canvas.pack()

def rand_triangle():
    p1 = r.randrange(w)
    p2 = r.randrange(h)
    p3 = r.randrange(w)
    p4 = r.randrange(h)
    p5 = r.randrange(w)
    p6 = r.randrange(h)
    canvas.creat_polygon(p1, p2, p3, p4, p5, p6, fill="", outline="black")

for x in range(100):
    rand_triangle()          # 함수 호출
```

tkinter는 GUI에 대한 표준 인터페이스이며 윈도창을 생성할 수 있다. Tk( ) 함수는 가장 기본적인 윈도우 창을 생성한다. Canvas( )를 이용하여 선, 다각형, 원 등을 그리기 위한 캔버스를 생성할 수 있다. 폭과 넓이 각 400픽셀의 크기로 캔버스를 생성하고 패킹한다.

무작위로 삼각형을 그리기 위한 함수 rand_triangle( )을 정의하고, 캔버스에 create_polygon( ) 함수를 사용하여 (p1, p2) (p3, p4) (p5, p6) 세 개의 꼭지점을 갖는 삼각형을 생성한다.

반복문 for를 사용하여 100번 rand_triangle( )을 호출함으로써 100개의 삼각형이 무작위적으로 캔버스 위에 그려진다.

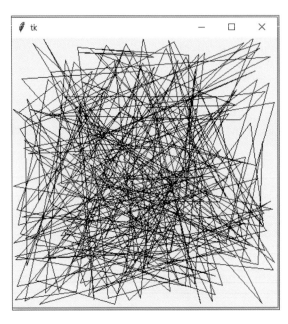

그림 10.20   tkinter로 그린 삼각형

응용예제 10.8

(요구조건)

tkinter 모듈을 import하여 캔버스를 생성하고 무작위적인 사각형을 그리는 프로그램을 작성하시오.
- 사각형의 좌표는 임의의 생성한다.

```python
# ex10-11.py
from tkinter import *
import random as r

w = 400
h = 400
tk = Tk()
canvas = Canvas(tk, width=w, height=h)
canvas.pack()
```

```
def rand_rectangle():
    x1 = r.randrange(w)
    y1 = r.randrange(h)
    x2 = x1 + r.randrange(w)
    y2 = y1 + r.randrange(h)
    canvas.creat_rectangle(x1, y1, x2, y2)

for x in range(100):
    rand_rectangle()        # 함수 호출
```

무작위로 사각형을 그리기 위한 함수 rand_rectangle( )을 정의하고, 캔버스에 create_rectangle( ) 함수를 사용하여 (x1, y1), (x2, y2) 두 개의 점으로 사각형을 생성한다. 사각형은 왼쪽 모서리 위의 좌표(top)과 오른쪽 모서리 아래(bottom) 좌표로 그린다.

반복문 for를 사용하여 100번 rand_rectangle( )을 호출함으로써 100개의 사각형이 무작위적으로 캔버스 위에 그려진다.

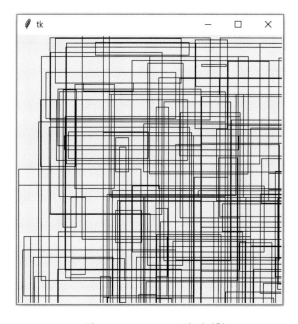

그림 10.21   tkinter로 그린 사각형

인공지능과 머신러닝

일반적으로 지능(Intelligence)이란 무언가를 이해하고 배우는 능력, 본능적으로 행동하는 것이 아니라 생각하고 이해함으로써 행동으로 옮기는 능력을 의미하며, 인공지능(AI, Artificial Intelligence)은 기계(컴퓨터)가 인간처럼 학습하고 생각하여 스스로 판단하고 행동할 수 있도록 만드는 기술을 의미한다.

11.1   머신러닝의 개념

머신러닝(Machine Learning)은 인공지능의 한 분야로 데이터에 내재된 패턴, 규칙, 의미 등을 컴퓨터로 하여금 알고리즘을 기반으로 학습하게 하여, 새롭게 입력되는 데이터에 대한 결과물을 예측 가능하도록 하는 기술이고, IoT 환경에서 머신러닝은 사물이 직접 제공하거나 센서를 통해 취득한 데이터를 기반으로 유의미한 정보를 도출 분석하는 사물데이터 처리기술로 활용되고 있다. 일반적인 머신러닝(기계학습)은 데이터 수집, 특징 추출, 모델 선택, 학습 과정의 4가지 단계로 이루어진다. 안정적인 머신러닝이 이루어지기 위해서는 수집되는 데이터의 신뢰도가 높아야 한다. 전력설비의 이상 신호 검출을 위한 센서 및 처리기법이 매우 중요하다. 머신러닝은 인공지능의 일종이며, 딥러닝은 머신러닝의 하위 개념으로 정의하여 그림과 같이 나타낸다.

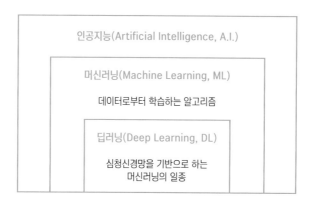

그림 11.1   머신러닝과 딥러닝

인공지능은 지능적인 요소가 포함된 기술을 총칭하는 말이고, 머신러닝은 인공지능이라는 목표를 당설하기 위한 학습 기반의 구체적인 방법으로 데이터를 이용한 모델링 기법이다. 머신러닝에서는 데이터와 결과를 입력하면 처리할 수 있는 프로그램이 생성되며 이것을 모델이라고 한다. 데이터 분석을 통해 특정 시스템의 특성을 나타내는 수식이나 배열과 같은 모델을 만들어 낼 수 있다. 반면에 다양한 문서, 음성, 이미지 등의 데이터로부터 최종 결과물인 모델을 사람이 아닌 기계가 스스로 만들어 낸다. 이때 모델링에 사용하는 데이터를 학습 데이터(training data)라고 한다. 기본 모델은 있고 학습 데이터에 따른 특성을 나타내는 모델 변수들이 정의된다. 즉, 공식이나 법칙으로 접근하기 어려운 경우 학습 데이터를 이용해 모델을 구하는 것이 머신러닝의 핵심이다.

머신러닝에서는 학습데이터의 일반화(Generalization)와 과적합(Overfitting) 문제를 해결하는 것이 중요하다. 학습데이터로부터 모델을 찾아내는 과정을 학습 과정, 실제 데이터를 입력해 결과를 얻는 과정을 추론(Inference)이라고 한다. 학습과 추론의 데이터는 서로 다른 데이터이다. 학습 데이터는 현장의 실제 데이터의 특성을 제대로 반영하는 것이 중요하며, 기계학습 기법을 사용할 때는 실제 데이터의 특성이 잘 반영되어 편향되지 않는 학습 데이터를 확보하는 것이 중요하다. 머신러닝에서 일반화 성능을 저하하는 요인 중 하나는 과적합이다. 과적합의 경우, 학습 데이터의 분류는 완벽하지만 실 계측 데이터에 관해서는 성능이 떨어진다.

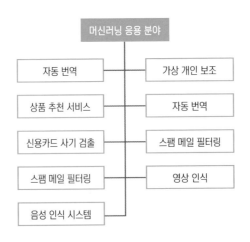

그림 11.2   머신러닝 응용분야

11.2   머신러닝의 유형

학습 절차와 유형 머신러닝 학습절차는 1. 빅데이터 입력, 2. 데이터 분석하여 모델 생성, 3. 모델을 이용하여 의사 결정 및 예측 등 수행으로 이루어진다.

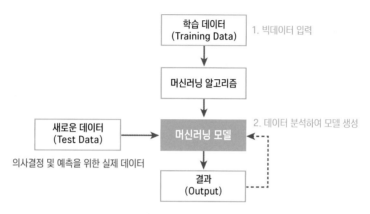

그림 11.3   머신러닝 학습 절차 추가

머신러닝은 문제의 유형에 따라 지도학습과 비지도학습, 강화학습 3가지로 구분된다.

그림 11.4   머신러닝의 유형별 분류

11.2.1 지도학습(Supervised Learning)

지도학습은 주어진 데이터에 정답이 존재하는 경우 미지의 데이터에 대한 정답을 예측하는 학습 방법이다. 지도학습의 방법에는 분류와 회귀가 있다.

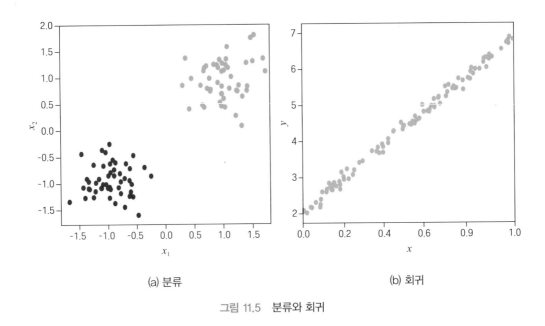

(a) 분류

(b) 회귀

그림 11.5   분류와 회귀

■ 분류(Classification)

분류란 입력 데이터가 미리 정해진 카테고리 중 어디에 속하는지 예측하는 문제를 의미한다. 예, 특정 사진을 보고 사과인지 바나나인지 판단하는 문제, 스팸 메일을 구별하는 문제 등

분류할 카테고리가 두 개인 경우는 이진 분류, 그 이상인 경우는 다중 클래스 분류라고 한다.

■ 회귀(Regression)

회귀란 연속된 데이터가 주어졌을 때 다음 값을 예측하는 문제이다.

예 특정 지역의 집값 변화를 보고 미래의 집값 추이가 어떻게 될지 예측하는 것, 특정 기업의 주가나 환율 변화, 유가 예측 등

회귀 예측은 연속된 값인 반면 분류 예측은 중간이 없다. 분류와 회귀를 구분하는 가장 간단한 방법은 데이터의 성질을 보고 판단하는 것이다.

머신러닝으로 풀려는 문제의 목표가 연속된 값을 맞추려는 것이라면 회귀, 정해진 카테고리 중 하나를 찾는 것이라면 분류에 해당한다.

11.2.2 비지도학습(Unsupervised Learning)

비지도 학습은 정답(레이블)이 없는 데이터를 보고 유용한 패턴을 추출하는 학습방법이다. 비지도학습과 지도학습의 차이는 학습 과정에서 데이터의 정답이 주어지는 지 여부다. 비지도학습의 예로는 유사한 데이터를 묶는 군집화, 데이터의 이상값을 찾는 이상 검출 등 머신러닝 모델을 설계할 때 입력값 외에도 특징(Feature)이라 부르는 속성값을 혼합해 모델링에 적용하기도 하는데, 비지도학습을 통해 얻어지는 결과를 특징으로 이용할 수도 있다. 비지도학습의 대표적 예로는 군집화와 차원축소가 있다.

■ 군집화(Clustering)

군집화는 정답이 주어지지 않는 상태에서 데이터를 분류하는 방법으로, 데이터 분포를 보고 특성이 비슷한 것을 군집(Cluster)으로 묶는다. 군집화는 이미지 데이터 처리에도 사용하는데, 딥러닝의 전처리 단계에서 비지도학습으로 얻은 특성을 이용하면 성능을 향상시킬 수 있다. 예, 풀컬러 이미지에 색상을 기준으로 군집화 알고리즘을 적용해 적은 수의 색상으로 구분하면 연산량을 줄일 수 있는데, 이와 같은 기법을 색상 양자화라고 한다.

■ 차원축소(Dimensionality Reduction)

차원축소란 분석하기 어려운 고차원 데이터의 특성 수를 줄이면서 중요한 특성을 포함하는 저차원 데이터로 표현하는 방법이다. 차원축소의 대표적인 예로는 고차원 데이터를 2차원 평면에 표현하는 데이터 시각화와 이미지 압축 등이 있다.

11.2.3 강화학습(Reinforcement Learning)

강화학습은 기계(에이전트)와 환경사이의 상호작용을 통해 학습하는 방법으로, 에이전트가 환경으로부터 보상을 최대화하는 방법으로 학습을 진행한다. 지도학습이 정답이 주어진 학습 데이터로 학습한다면 강화학습은 환경과의 상호작용을 통해 얻는 보상으로 학습한다. 비지도학습이 데이터의 숨겨진 구조를 찾는 것이 목적이라면 강화학습은 보상을 최대화하는 것이 목표다.

강화학습은 주어진 환경에서 에이전트가 액션을 취할 때 보상 혹은 벌점을 받으며, 보상을 최대화하는 방향으로 진행한다. 강화학습 에이전트도 처음에는 여러 행동을 해보면서 그에 따른 보상을 통해 점차 올바른 방향의 행동을 수행하도록 학습된다. 즉, 강화학습은 정답은 모르지만 행동에 따른 보상을 알 수 있으므로 그로부터 학습하는 방식이다.

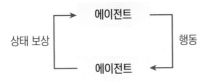

그림 11.6   강화학습의 구성요소

강화학습의 구성요소는 다음과 같다.

(1) 에이전트 (Agent)

상태를 관찰하고 행동하여 최대의 보상을 얻기 위해 학습하는 주체

(2) 환경 (Environment)

에이전트를 제외한 나머지

(3) 상태 (State)

현재 상황을 나타내는 정보

(4) 행동 (Action)

에이전트가 수행할 수 있는 활동

(5) 보상 (Reward)

행동에 따라 좋고 나쁨을 알려주는 정보

강화학습의 학습방법은 다음과 같은 순서로 일반화할 수 있다.

- 에이전트가 환경에서 자신의 상태를 관찰
- 보상이 최대일 것으로 판단되는 행동을 선택
- 선택한 행동을 실행
- 환경으로부터 변경된 상태와 보상을 받음
- 보상을 통해 에이전트의 정보를 업데이트

강화학습은 기계(에이전트)가 환경과의 상호작용(선택과 피드백의 반복)을 통해 장기적으로 얻는 이득을 최대화하도록 하는 학습방법으로, 지도학습과는 달리, 강화학습의 경우에는 입력값-출력값(레이블)의 쌍이 명시적으로 정해지지 않는다. 강화학습은 각각의 행동에 대한 피드백을 받아서 다음 행동을 정하는 알고리즘을 학습해 나간다.

지도학습은 데이터를 통해 학습하는 레이블이 어떤 성질을 갖고 어떤 것을 예측하는냐에 따라 크게 회귀와 분류 좀 더 세분하면 회귀(값 예측), 분류(항목 선택), 랭킹/추천(순서 배열)으로 구분할 수 있다. 회귀의 경우는 연속되는 숫자를 예측한다.(예. 내일의 온도 변화 등) 분류는 입력 데이터들을 주어진 항목들로 나누는 방법으로 예, 도서관에서 책 분류 등이다. 랭킹학습은 회귀에서처럼 각 입력 데이터의 출력값을 예측하는 것이 아니라 데이터의 순위를 예측합니다. 예, 영화 평점 예측과 영화 추천 등 비지도학습은 지도학습과는 달리 직접 데이터를 모델링하는 기법이다. 대표적으로 군집화(클러스터링)/토픽 모델링(비슷한 데이터를 묶음), 밀도 추정(데이터 분포 예측), 차원 축소(데이터 차원을 간추림) 등이 있다. 클러스터링은 입력 데이터간의 거리를 계산하여서 입력을 몇 개의 군집으로 나누는 방법으로 K-means 클러스터링이 가장 기본적인 방법이다.

입력 데이터   최종 결과

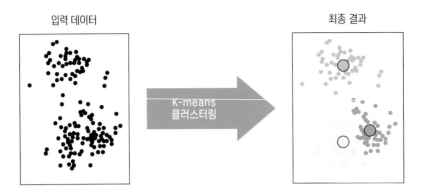

그림 11.7   군집화 (클러스터링)

NOTE

지도학습(Supervised Learning) 요약

- 데이터로부터 추출한 특징을 기반으로 학습과정을 통해서 결정모델 즉 입력-출력 사상 함수를 찾고 해당 결정모델을 활용해 새로운 데이터 분류를 추정함.
- 지도학습을 통해 풀 수 있는 문제는 주어진 데이터의 클래스를 구분하는 패턴인식 문제, 연속적인 어떤 값을 추정해야 하는 회귀(regression) 또는 함수 근사화로 분류됨.
- 여기에는 서포트 벡터 머신(SVM), 은닉 마르코프 모델, 나이브 베이즈 분류, 신경망 모델이 있음.

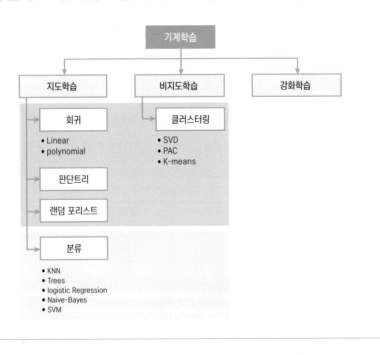

APPENDIX

A.1   문자형

- 문자는 컴퓨터보다는 인간에게 중요

- 문자도 숫자를 이용하여 표현

- 공통적인 규격이 필요하다.

- 아스키 코드(ASCII: American Standard Code for Information Interchange)
  8비트를 사용하여 영어 알파벳 표현
  (예) !는 33, 'A'는 65, 'B'는 66, 'a'는 97, 'b'는 98

```
!"#$%&'()*+,-./0123456789:;<=>?
@ABCDEFGHIJKLMNOPQRSTUVWXYZ[\]^_
`abcdefghijklmnopqrstuvwxyz{|}~
```

A.2 아스키코드

Dec	Hex	Char	Dec	Hex	Char	Dec	Hex	Char	Dec	Hex	Char
0	0	[NULL]	32	20	[SPACE]	64	40	@	96	60	`
1	1	[START OF HEADING]	33	21	!	65	41	A	97	61	a
2	2	[START OF TEXT]	34	22	"	66	42	B	98	62	b
3	3	[END OF TEXT]	35	23	#	67	43	C	99	63	c
4	4	[END OF TRANSMISSION]	36	24	$	68	44	D	100	64	d
5	5	[ENQUIRY]	37	25	%	69	45	E	101	65	e
6	6	[ACKNOWLEDGE]	38	26	&	70	46	F	102	66	f
7	7	[BELL]	39	27	'	71	47	G	103	67	g
8	8	[BACKSPACE]	40	28	(	72	48	H	104	68	h
9	9	[HORIZONTAL TAB]	41	29	)	73	49	I	105	69	i
10	A	[LINE FEED]	42	2A	*	74	4A	J	106	6A	j
11	B	[VERTICAL TAB]	43	2B	+	75	4B	K	107	6B	k
12	C	[FORM FEED]	44	2C	,	76	4C	L	108	6C	l
13	D	[CARRIAGE RETURN]	45	2D	-	77	4D	M	109	6D	m
14	E	[SHIFT OUT]	46	2E	.	78	4E	N	110	6E	n
15	F	[SHIFT IN]	47	2F	/	79	4F	O	111	6F	o
16	10	[DATA LINK ESCAPE]	48	30	0	80	50	P	112	70	p
17	11	[DEVICE CONTROL 1]	49	31	1	81	51	Q	113	71	q
18	12	[DEVICE CONTROL 2]	50	32	2	82	52	R	114	72	r
19	13	[DEVICE CONTROL 3]	51	33	3	83	53	S	115	73	s
20	14	[DEVICE CONTROL 4]	52	34	4	84	54	T	116	74	t
21	15	[NEGATIVE ACKNOWLEDGE]	53	35	5	85	55	U	117	75	u
22	16	[SYNCHRONOUS IDLE]	54	36	6	86	56	V	118	76	v
23	17	[ENG OF TRANS, BLOCK]	55	37	7	87	57	W	119	77	w
24	18	[CHNCLE]	56	38	8	88	58	X	120	78	x
25	10	[END OF MEDIUM]	57	39	9	89	59	Y	121	79	y
26	1A	[SUBSTITUTE]	58	3A	:	90	5A	Z	122	7A	z
27	1B	[ESCAPE]	59	3B	;	91	5B	[	123	7B	{
28	1C	[FILE SEPARATOR]	60	3C	<	92	5C	\	124	7C		
29	1D	[GROUP SEPARATOR]	61	3D	=	93	5D	]	125	7D	}
30	1E	[RECORD SEPARATOR]	62	3E	>	94	5E	^	126	7E	~
31	1F	[UNIT SEPARATOR]	63	3F	?	95	5F	_	127	7F	[DEL]

A.3   피보나치 수(Fibonacci Numbers)

- 0과 1로 시작, F0 = 0, F1 = 1, Fi = Fi−1 + Fi−2 (i≥2)의 재귀식으로 정의

- 피보나치 수로 구성된 피보나치 수열(Fibonacci Sequence)

  0, 1, 1, 2, 3, 5, 8, ...과 같은 순서의 숫자로 구성된 수열

- 0과 1로 시작하여 피보나치 수를 구하는 방법, 피보나치 수를 이용한 사각형 채우기
  와 황금비율

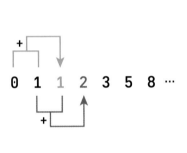
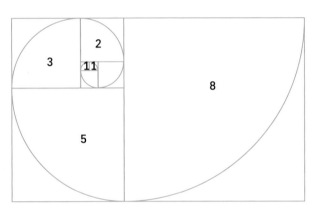

[피보나치 수열의 형태]

- 자연

  - 나뭇가지의 갈라짐, 꽃잎의 개수, 꽃씨의 배열, 앵무조개의 껍질 모양 등에서 빈
    번하게 나타남

  - 황금비율의 형태나 프렉탈 형태로 나타나기도 함

- 알고리즘 분야

  - 피보나치 탐색(Fibonacci Search)

  - 피보나치 힙(Fibonacci Heap)

- 증권 분야

  - 엘리어트 파동 이론(Elliott wave theory)

달구나파이썬! 개정판